Rosie Rushton
Katies Entschluss

cbt

Foto: © John Roan

Rosie Rushton arbeitet als Journalistin für verschiedene Zeitungen und schreibt ausgesprochen erfolgreiche Jugendbücher. Sie lebt in Northamptonshire und hat drei erwachsene Töchter.

DIE AUTORIN

Von Rosie Rushton ist bei cbt erschienen:

Friends! – Eine voll coole Woche (30254)
Friends! – Eine Woche voller Action (30018)
Friends! – Eine echt nervige Woche (25078)
Girls! – Der Typ gefällt mir eben! (30023)
Girls! – Das halt ich im Kopf nicht aus! (30020)
Girls! – Das kriegen wir schon hin! (30216)
Geständnisse und andere Lügen (30061)
Halt dich da raus, Mama! (30072)
Ich glaub, ich krieg 'ne Krise (30073)
Ich schaff das schon, Mama! (30002)
Reg dich ab, Mama! (30071)
Geliebte Brieffeindin/P. S. He's mine! (30156)
Liebesschwüre für dich (30257)

Weitere Titel sind bei cbj erschienen.

Rosie Rushton

Katies Entschluss

Aus dem Englischen
von Sabine Hedinger

cbt – C. Bertelsmann Taschenbuch
Der Taschenbuchverlag für Jugendliche
Verlagsgruppe Random House

Umwelthinweis:
Alle bedruckten Materialien dieses Taschenbuches
sind chlorfrei und umweltschonend.

1. Auflage
Erstmals als cbt Taschenbuch März 2006
Gesetzt nach den Regeln der Rechtschreibreform
© 2002 für den Originaltext Rosie Rushton
Die englische Originalausgaben erschien 2002
unter dem Titel »Last seen wearing trainers«
bei Andersen Press, London.
© 2003 der deutschsprachigen Ausgabe bei
C. Bertelsmann Jugendbuch Verlag, München
in der Verlagsgruppe Random House GmbH
Alle deutschsprachigen Rechte vorbehalten
Übersetzung: Sabine Hedinger
Lektorat: Janka Panskus
Umschlagbild: Image Bank, München
Umschlagkonzeption:
init.büro für gestaltung, Bielefeld
st · Herstellung: CZ
Satz: Uhl + Massopust, Aalen
Druck und Bindung: GGP Media GmbH, Pößneck
ISBN-10: 3-570-30206-7
ISBN-13: 978-3-570-30206-4
Printed in Germany

www.cbj-verlag.de

Für alle, die schon einmal Angst vor jemandem
haben mussten, den sie lieben,
und für alle, die den Mut aufbrachten,
sich ihrer Angst zu stellen

Katie

Donnerstag, 28. Juni
19:30 Uhr

*I*ch kann noch gar nicht glauben, dass ich den Plan durchziehe und wirklich verschwinde. Das hätte ich mir nie zugetraut. Natürlich haben wir viel darüber geredet, Joe und ich. Er drängt mich seit Wochen dazu, aber im letzten Moment habe ich immer gekniffen – habe mir gesagt, dass es zu Hause eigentlich doch nicht so schlimm wäre. Aber das war vor letztem Wochenende. Letztes Wochenende hat alles verändert.

Obwohl alles ja schon seit unheimlich langer Zeit anders geworden war. Es fing mit Dads Tod an. Nein, das stimmt nicht. Ich glaube, es fing schon viel früher an; vielleicht damals, als mein Bruder Tom noch ein halbes Baby war. Nur dass mir zu der Zeit nicht so klar war, was passierte. So ist das eben, wenn man selbst noch ein Kind ist. Du glaubst es, wenn man dir sagt, dass deine Mum Kopfweh hat, weil du ungezogen warst. Du fängst dir eine Ohrfeige ein und glaubst es, wenn sie sagt, dass sie dir damit nur ein bisschen Vernunft einbimsen will. Du erwischst deinen Dad dabei, wie er im Gewächshaus hockt und weint, aber wenn er sagt, dass ihm etwas ins Auge gekommen ist, dann nimmst du ihm das ab. Du willst es glauben, also glaubst du es auch.

Und wenn dir jemand sagt, dass du total nutzlos bist, dann glaubst du das genauso. Ich würde es ja immer noch glauben, wenn da nicht Joe wäre.

Joe habe ich ein paar Wochen, nachdem wir ins Dorf gezogen

7

waren, kennen gelernt. Es sollte wieder mal ein neuer Anfang für Mum werden: raus aus der Stadt, rein in die Natur.

»Weißt du, Mucki«, sagte sie (sie nennt mich Mucki, wenn sie gut drauf ist), »weißt du, es wird ein ganz anderes Leben werden, auf dem Land, in Hartfield. Das wird uns richtig umkrempeln.«

Ich wollte da nicht hin. Zum einen war ich mir überhaupt nicht sicher, ob so eine Unternehmung überhaupt etwas ändern könnte, und zum anderen hatte ich die Nase voll vom Umziehen. Als es mit Mums »kleinen Problemen«, wie Dad dazu sagte, so richtig losging, zogen wir von Sussex nach Kettleborough. Dann, nach der Sache mit den Nachbarn von gegenüber, zogen wir schon wieder um, in eine Neubausiedlung am anderen Ende der Stadt. Aber dort wurde es nur noch schlimmer – in einer Siedlung kann man sich kaum verstecken. Die Leute fingen schnell an zu reden – Mum machte nie die Fenster zu, bevor sie losbrüllte –, und in der Schule hänselten mich die anderen Kinder und sagten, ihre Eltern fänden uns nicht ganz normal.

Was zwar gemein war, aber in der Sache korrekt.

Und vor anderthalb Jahren hat Dad dann… ist Dad dann gestorben.

Es stand groß und breit in der Zeitung. Es gab sogar eine kurze Meldung in der Landesschau »Bei uns im Osten«.

Es war schrecklich. Die Leute sagen zwar, sie könnten verstehen, was man durchmacht, aber das stimmt nicht. Wie sollten sie das denn auch können, wenn sie ganz normal weiterleben? In der ersten Zeit bin ich nachts aufgewacht und hab sein Gesicht an der Zimmerdecke gesehen. Ich hab mir eingebildet, ich würde seine Stimme auf der Treppe hören. Ich bin zu den unmöglichsten Zeiten in Tränen ausgebrochen, und wenn ich erst mal angefangen hatte zu weinen, konnte ich nicht mehr aufhören.

Es war entsetzlich.

Aber die Wut war schlimmer. Ist schlimmer.

Ich kann immer noch total wütend darüber werden, dass Dad uns verlassen hat. Oder vielmehr mich verlassen hat. Denn ich muss ja die Scherben zusammenfegen, ich muss mit Mum klarkommen, wenn sie wieder mal einen Absturz hat, ich kriege es ab, wenn irgendetwas schief läuft. Früher hat Dad das alles mit ihr geklärt – oder es zumindest versucht. Jetzt bin nur noch ich da. Er hätte nicht einfach sterben dürfen. Das war nicht fair.

Noch Wochen nach Dads Tod war ich total abgedreht, aber komischerweise schien Mum, sobald die Beerdigung vorbei war, fast ein bisschen aufzuleben. Ich dachte, sie würde sich jetzt nur noch schlimmer hängen lassen, aber da täuschte ich mich. Sie ging zum Frisör und fing wieder an, Make-up zu tragen. Sie kochte richtiges Essen, statt irgendetwas Tiefgefrorenes aus dem Supermarkt warm zu machen, und redete sogar davon, dass sie sich einen Teilzeitjob besorgen wollte.

»Ihre Tapferkeit ist bewundernswert«, sagte Grace, Mums beste Freundin, zu jedem, der es hören wollte.

»Du musst sehr stolz auf sie sein«, sagten die Lehrer praktisch jeden Tag in der Schule zu mir.

»Das Leben hat ihr ein paar schwere Schläge versetzt, das kann man nicht leugnen«, schrieb meine Oma in einem Brief aus Schottland, wo sie natürlich schön weit weg vom Schuss war.

Ich wollte ihr schon zurückschreiben, dass Mum solche schweren Schläge auch ganz gut selbst austeilen kann, ließ es dann aber bleiben.

Du willst ja nicht, dass andere Leute Bescheid wissen. Es ist einfacher, sie in dem Glauben zu lassen, dass die Mutter, die sie auf der Straße sehen, dieselbe ist, wenn sie die Türen und Fenster ihres Hauses hinter sich zugemacht hat.

Also wurstelte ich mich irgendwie weiter durch, von einem Tag zum nächsten, und hoffte dabei, ihre gute Phase würde ewig

anhalten. Ich gab mir richtig Mühe, brav zu sein und nicht aus-
zuflippen und ihr keinen Anlass zum Trinken zu geben.

Es hat nicht besonders lange funktioniert.

Das tut es nie.

Ein paar Wochen nach Dads Beerdigung hatten wir einen
wahnsinnigen Krach. Ich weiß nicht mal mehr, worum es ging,
aber ich sagte etwas, das ihr nicht passte, und sie drehte durch.

»Du wirst noch mal mein letzter Sargnagel sein!«, kreischte sie
und riss sich dabei selbst an den Haaren, wie sie das immer macht,
wenn sie einen ihrer Abstürze hat. »Du mit deiner Aufsässigkeit.
Was habe ich bloß verbrochen, um ein Kind wie dich zu verdie-
nen. Nichts als Ärger hast du mir gebracht, von Anfang an!«

»Ich hab nicht darum gebeten, auf die Welt zu kommen!«,
schrie ich zurück. »Und so eine blöde Kuh wie dich hätt ich mir
nie freiwillig zur Mutter ausgesucht!«

Und da stieß sie mich die Treppe runter. Natürlich nicht mit
Absicht – sie schlug nur auf mich ein und mir rutschte der Fuß
weg und das war's. Ein Unfall, nichts weiter. Meine Schuld, weil
ich ihr eine freche Antwort gegeben hatte, und das ausgerechnet
an einem Tag, wo sie schlecht drauf war. Ich hätte es besser wissen müssen.

In der Notaufnahme haben wir natürlich nicht die Wahrheit
erzählt. Mum sagte, ich wäre vom Rad gefallen, und ich war
schlau genug, ihr nicht zu widersprechen. Allerdings hatte ich das
Gefühl, dass der Arzt drauf und dran war, eine Menge Fragen zu
stellen, doch dann kriegte Tom einen seiner Schreikrämpfe, und
ich glaube, danach waren sie froh und dankbar, dass sie nur meinen Arm eingipsen mussten und uns dann los waren.

Wir nahmen ein Taxi nach Hause, das weiß ich noch, und
Mum drückte mich an sich und küsste mich auf den Kopf und
weinte unentwegt und sagte, es täte ihr alles so Leid, aber ob ich
denn nicht verstehen könnte, dass das Päckchen, das sie im Leben

zu tragen hatte, einfach zu schwer wäre und dass sie nur deswegen manchmal die Nerven verlor.

Sie versprach mir, dass von nun an alles anders werden würde, und ich glaubte ihr. Wie ich schon sagte, man glaubt, was man glauben will, und ich muss zugeben, dass sie danach eine Weile unheimlich lieb war. Selbst Tom fiel das auf. Tom sagt ja nicht viel, aber man merkt, wenn es ihm gut geht, weil er dann aufhört, sich zu wiegen und mit den Fingern zu trommeln, und stattdessen vor sich hin summt und seine Bilder malt.

Tom ist schon in Ordnung. Eben anders als andere Kinder. Aber ganz in Ordnung.

Jedenfalls hat Mum sich kurz darauf entschlossen, nach Hartfield zu ziehen. Das ist nur fünf Meilen von Kettleborough entfernt, aber echt ruhig und ländlich. Ich glaube, sie ist auf Hartfield verfallen, weil Grace hier wohnt und die beiden seit Urzeiten befreundet sind. Grace ist zehn Jahre älter als Mum und echt nett. Nicht gerade klug, nicht gerade spritzig oder cool, aber verlässlich und gemütlich – eben immer dieselbe. Das tut mir gut.

Im Dorf gibt es jede Menge reetgedeckte Häuschen – nicht dass wir eins von denen hätten, nein, wir wohnen in einer ziemlichen Bruchbude, direkt unterhalb vom Church Hill. Etwas Besseres hätte sich Mum sowieso nicht leisten können, und selbst dafür reichte es nur, weil meine Oma – Dads Mutter – ein halbes Jahr davor gestorben war und ihr etwas Geld vermacht hatte.

Ich wollte nicht umziehen, aber Mum schien schon die Idee so happy zu machen, dass sie sogar ein paarmal im Haus herumträllerte, und ich dachte, wenn das hieß, dass bei uns ein bisschen Normalität einkehrte, dann würde ich sonst was dafür tun. Ich müsste ja nicht mal die Schule wechseln: Pipers Court ist ein Gymnasium, zu dem Schüler sogar von weit her kommen, und für mich bedeutete das bloß eine längere Busfahrt und damit mehr Zeit zum Tagträumen.

Also machte ich keinen Aufstand und wir kamen hierher. Aber glücklich geworden ist sie hier auch nicht – so ein Wunder schaffen eigentlich nur ihr Brandy und alte Schwarz-Weiß-Filme und beides auch nur für kurze Zeit.

Ja, ich weiß, es ist nicht ihre Schuld. Ich meine, unsere früheren Nachbarn in Kettleborough haben hinter vorgehaltener Hand getuschelt, es wäre eine Schande, sie sollte mal endlich die Ärmel hochkrempeln und ihr Leben anpacken, aber was wussten die schon? Sie hatten ja keine Ahnung, dass Mum in einem Heim groß geworden war und dann schwanger wurde und ein Baby bekam, das mit drei Monaten starb. Oder dass – na ja, die vielen anderen Sachen, die noch passierten, und dass immer alles an Mum hängen blieb, auch wenn sie eigentlich gar nichts dafür konnte.

Deshalb ist sie ja so durch den Wind – wegen der Vergangenheit und allem, was dranhängt. Das hat sie mir bestimmt schon hundert Millionen Mal gesagt und meistens glaube ich es ihr auch. Nur dass ich manchmal wünschte, sie könnte die Vergangenheit vergessen und endlich mal in der Gegenwart leben. Sie sagt, sie gibt sich ja Mühe, und auf ihre Weise tut sie das wohl auch.

Jedenfalls lebten wir erst ein paar Wochen in dem neuen Haus, als ich Joe kennen lernte. Es war das erste Mal, dass ich die Schule schwänzte. Mum hatte mich an dem Morgen echt fertig gemacht, beschimpft, geohrfeigt und was nicht noch alles. Zum Glück war vorher schon der Minibus da gewesen, der Tom zur Lime Lodge abholt – das ist seine Sonderschule; es bringt ihn nämlich total durcheinander, wenn Mum mich anbrüllt, es wirft ihn richtig in seiner Entwicklung zurück. Komisch – ihn brüllt sie nie direkt an, nicht mal wenn er mit seinem Essen rumschmeißt oder mit dem Kopf gegen die Wand knallt. Es ist, als könnte sie deshalb so geduldig mit ihm sein, weil er nicht mit Worten gegen sie ankommt.

Aber an diesem Morgen machte ich mir nicht mal die Mühe zurückzubrüllen – ich rannte einfach aus dem Haus und lief immer weiter. Ohne darauf zu achten, wohin. Durch den Tränenschleier konnte ich kaum etwas sehen, und ich konnte an nichts anderes denken, als so weit abzuhauen wie möglich. Es machte mir nicht mal was aus, dass es nieselte und ich nur meinen Schulrock und -pulli anhatte. Ich war wütend – nicht nur auf sie, nicht nur auf Dad, sondern auch auf mich selber. Wütend, dass ich so blöd gewesen war zu glauben, es könnte besser werden, wütend, dass ich, obwohl ich schon vierzehn war, das alles immer noch mit mir machen ließ, immer und immer wieder.

Und wütend, weil mir beim besten Willen nicht einfiel, wie ich solche Szenen in Zukunft verhindern könnte.

Ich hätte in den Schulbus steigen sollen, aber ich tat es nicht. Als ich ihn kommen hörte, war ich schon hinter dem Dorf und auf der Landstraße nach Frampton. Mittlerweile hatte sich das Geniesel zu einem Dauerregen ausgewachsen, und ich verzog mich hinter ein paar Büsche in der Spectacle Lane, bis der Bus vorbeigerattert war. Ich sah, wie Alice die beschlagene Fensterscheibe mit einer Hand freiwischte und herausstarrte, mit verkniffenem, nervösem Gesicht. Alice ist meine beste Freundin und die Einzige, bei der ich je in Versuchung kam, mir die ganze Geschichte mal von der Seele zu reden. Aber sie hat eine freche Schnauze und von allem eine Ahnung, und ich weiß, dass sie mir garantiert gesagt hätte, ich müsste was unternehmen, statt einfach dazusitzen und mir sonst was gefallen zu lassen. Oder noch schlimmer, dass sie irgendwann bei uns anmarschiert wäre und Mum zur Rede gestellt hätte.

Denn dadurch wäre alles nur noch schlimmer geworden.

Und nun *tue* ich endlich etwas dagegen und kann es ihr nicht mal erzählen. Joe ist in der Hinsicht unheimlich hart geblieben, aber ich weiß, dass er Recht hat.

»Wir tun das für dich, Katie«, sagte er letzte Nacht und strich mir dabei durchs Haar, wie er das immer macht, wenn ich nervös werde. »Und wenn es klappen soll, muss es unser Geheimnis bleiben. Das verstehst du doch, oder?«

Ja. Natürlich.

Trotzdem würde es mir gut tun, wenn ich Alice davon erzählen könnte – schon damit sie für die Zeit Tom ein bisschen im Auge behält.

Ich mache mir nämlich Sorgen wegen Tom. Er ist erst zehn, und wegen seiner Lernschwierigkeiten und weil er nicht richtig sprechen kann, hat er keine Freunde wie die meisten anderen Kinder in seinem Alter. Es gibt nur mich und Mum – und natürlich Grace, die auf ihn aufpasst, wenn Mum ausgeht.

Ich kann auch Grace nicht erzählen, was ich vorhabe.

Ich kann es überhaupt niemandem erzählen.

Ich habe Joe erklärt, dass ich mir Sorgen um meinen Bruder mache, aber was er sagte, klang sehr vernünftig: Er meinte, dass Tom nicht mein Problem wäre und dass jeder erst sein eigenes Leben auf die Reihe kriegen müsste, bevor er die Kraft hätte, anderen zu helfen.

Er sieht die Dinge so viel klarer als ich.

Das ist einer der Gründe, warum ich ihn so liebe.

Das Gefühl ist natürlich erst allmählich entstanden – es war wirklich nicht so, als hätte ich bei unserer ersten Begegnung gleich glänzende Augen und schlottrige Knie gekriegt – so was gibt es wohl eher nur im Kino.

Nein, ich duckte mich hinter das Gebüsch, sah den Bus verschwinden und hörte plötzlich Dads Stimme in meinem Kopf.

»The wheels on the bus go round and round, round and round, round and round!«

Das hat er mir immer vorgesungen, als ich klein war.

»The wheels on the bus go round and round, all day long!«

Es war, als wäre Dad da, als stünde er hinter dem Baum neben mir. Ich konnte fast sein Sandelholzaftershave riechen, seine Hand auf meiner Wange spüren.

Einen kurzen Augenblick fühlte ich, wie er die Arme um mich schlang, mich so fest an sich drückte, dass mir die Luft wegblieb – und dann war plötzlich nichts mehr da. Nur die Brise, die das Laub rascheln ließ, und das Dröhnen des Busses, der um die Ecke in die Hauptstraße bog.

Ich weiß nicht, wie lange ich da stand, weinte und schrie und mit den Fäusten gegen den Baumstamm hämmerte. Im Nachhinein kommt es mir verrückt vor, aber der Regen hatte inzwischen nachgelassen, und es war niemand außer mir da, bloß ein paar Schafe im Feld hinter mir. Ich schrie Dad an, weil er gestorben war, und Mum, weil sie nicht so war wie früher, und ich schrie sogar Tom an, weil er es schaffte, sich in seinen Kopf zurückzuziehen und von allem abzuschotten, von dem er nichts wissen wollte.

Aber vor allem schrie ich mich selber an.

»Du bist echt der letzte Dreck!«, heulte ich und trommelte dabei mit der geballten Faust gegen meine Schläfe. »Warum regst du sie immer so auf? Warum kannst du nicht die Schnauze halten und ihr aus dem Weg gehen? Du bist lächerlich. Lächerlich! LÄCHERLICH!«

Ich hatte den Lieferwagen nicht näher kommen hören. Ich hörte ihn nicht mal anhalten. Erst als die Fahrertür zuknallte, zuckte ich zusammen.

»Kann ich dir irgendwie helfen?«

Ich wirbelte herum und rieb mir dabei schnell mit dem Handrücken über meine Nase, die lief. Ein Typ mit sandfarbenen Haaren in einem dunkelblauen Pulli und Jeans starrte mich einigermaßen beunruhigt an.

»Nein, es ist schon okay!«, stotterte ich.

Alle Warnungen davor, mit Fremden zu reden, schossen mir durch den Kopf, und mir wurde fast übel, als ich merkte, dass ich meinen Beeper mit Notruftaste auf dem Flurtischchen vergessen hatte. Mum hatte ihn mir extra besorgt, als wir umzogen, und dazu gesagt, man wüsste ja nie, was für schräge Typen einem draußen auf dem Land begegnen könnten. Und das hätte sie bestimmt nicht getan, wenn sie mich nicht echt lieben würde, irgendwo tief drinnen.

Der Typ lächelte und strich sich eine lose Haarsträhne aus dem Auge. Er war höchstens zwanzig und sah nicht gerade wie der typische Psychopath aus. Im Gegenteil – er machte sogar einen ziemlich coolen Eindruck. Aber ich wollte kein Risiko eingehen.

»Sorry, aber ich glaube nicht, dass bei dir alles okay ist«, sagte er, als ich losmarschierte, weg von ihm und in Richtung Hauptstraße. »Soll ich vielleicht jemanden anrufen?«

»Was?«

Ich blieb stehen und sah ihn an. Er hatte hohe Wangenknochen und seine Stimme war tief und kehlig, wie die von einem Schauspieler – die Art Stimme, von der Alice sagen würde, sie sei echt sexy. Das ist noch so ein Thema, bei dem Alice sich auskennt: Männer.

»Keine Angst«, sagte er, »ich biete dir nicht an, dich in meinem Wagen mitzunehmen – ich könnte ja ein entflohener Sträfling sein!«

Er drehte sich um und machte die Beifahrertür von seinem Lieferwagen auf. Erst da bemerkte ich die Mohnblumen. Eine war an die Tür gemalt und eine große verzierte das Dach. Ihre riesigen leuchtend grünen Blätter reichten zu den Fenstern herab und umrahmten sie. Auf einem der Kotflügel saß ein Marienkäfer und über die Stoßstange krabbelte eine Spinne. Ein richtiges Kunstmobil.

Der Typ zog ein Handy aus der Tasche seiner Regenjacke, die über dem Fahrersitz hing.

»Kein Problem – ich rufe gern irgendwo für dich an. Du siehst aus, als würdest du Hilfe brauchen.«

Ich schüttelte den Kopf.

»Nein, wirklich nicht«, sagte ich. »Es ist alles okay. Ich hatte bloß gerade Krach mit … mit jemandem, aber es geht schon wieder.«

»Deinem Freund?«

»Meiner Mutter«, murmelte ich und fragte mich dann, wieso ich eigentlich hier am Straßenrand stand und mich mit einem Wildfremden unterhielt.

»Aha«, sagte er verständnisvoll. »Mütter.«

Er holte tief Luft und atmete langsam aus, als müsste er noch überlegen, was er als Nächstes sagen sollte.

»Und deshalb schwänzt du die Schule, stimmt's?«, bemerkte er, machte die Wagentür wieder auf und schmiss das Handy auf den Sitz.

Ich zuckte die Achseln. Nicht auszuschließen, dass er einer von diesen Bullen in Zivil war, die sich seit neuestem auf den Straßen von Kettleborough rumtreiben und alle einsammeln, die eigentlich in der Schule sein müssten.

»Das hab ich früher auch immer gemacht, wenn's mir zu heiß wurde«, sagte er lässig. »Man hält's einfach nicht aus, dass alle anderen nur über Musik und Diskos und die neuesten Fußballergebnisse quatschen, wenn einem zur selben Zeit das ganze Leben auseinander bricht.«

»Genau!«, hörte ich mich sagen, noch bevor ich nachgedacht hatte. »Manche von denen führen sich auf, als wüssten sie … ich meine …«

Schon im selben Moment wünschte ich mir, ich hätte den Mund gehalten, aber anscheinend bekam er das nicht mit.

»Und dann will man einfach mal allein sein, um den Kopf klarzukriegen«, fuhr er fort. »Und was man in der Situation bestimmt am wenigsten brauchen kann, ist irgend so ein neugieriger Typ in einer Klapperkiste, der einen am Straßenrand in die Mangel nimmt!«

Er grinste entschuldigend, und ich konnte nicht anders, als zurückzugrinsen. Und da fielen mir zum ersten Mal seine Augen auf – eins war grünlich braun und das andere grau. Meine Augen sind genauso verschieden. In der Grundschule haben mich die anderen Kinder deswegen aufgezogen. Und in fast fünfzehn Jahren war mir noch niemand begegnet, dessen Augen auch fehlfarben sind.

»Übrigens, ich bin Joe«, sagte er. »Und wie heißt du?«

»Katie«, antwortete ich. »Katie Fordyce.«

»Katie.« Er wiederholte leise meinen Namen, nickte und streckte mir dann lächelnd seine Hand entgegen.

»Schön, Katie«, sagte er. »Also – wie wär's, wenn ich dich jetzt zur Schule fahren würde?«

»Nein, danke!«, entgegnete ich schnell und wandte mich wieder zum Gehen.

Er schlug sich mit der Hand an die Stirn.

»Wie kann ich nur etwas so Blödes sagen!«, seufzte er. »Du hast ja Recht. Jedes Mädchen müsste verrückt sein, sich von einem Fremden mitnehmen zu lassen. Aber«, fügte er mit einem Blick zum Himmel hinzu, wo sich riesige graue Wolkenbänke über Coopers Hill bildeten, »es sieht so aus, als könnte es gleich wieder richtig lospladdern, und du bist jetzt schon bis auf die Haut durchnässt. Wie weit hast du es denn noch?«

»Pipers Court«, sagte ich hastig, obwohl ich gar nicht die Absicht hatte, zur Schule zu gehen. »Aber demnächst kommt ein anderer Bus.«

Das war glatt gelogen. Einer der Nachteile des Landlebens

besteht darin, dass man stundenlang auf den nächsten Bus warten muss und nie einer kommt, wenn man ihn am dringendsten braucht.

»Das möchte ich bezweifeln«, sagte er ruhig. »Hör mal, ich hab eine Idee.«

Er griff in den Wagen, nahm sein Handy vom Sitz und schob es mir in die Hände.

»Nimm das und steig ein!«, schlug er mir vor. »Wenn ich dich nicht direkt zur Schule fahre und mich so anständig benehme, wie es sich gehört, dann kannst du einfach die Polizei anrufen und mich verhaften lassen!«

Dabei machte er ein so ernstes Gesicht, dass ich mir das Lachen nicht verkneifen konnte.

»Okay, danke«, sagte ich. »Übrigens – cooler Wagen.«

Er nickte.

»Ich bin immer gern ein bisschen anders«, meinte er grinsend. »Schon erstaunlich, was man mit einem Eimer Farbe und der eigenen Fantasie so alles anstellen kann. Also, wo ist deine Schule?«

»Ich will nicht in die Schule«, sagte ich, während ich auf den Beifahrersitz stieg.

»Also lieber nach Hause?« Er zog eine Augenbraue hoch.

Das kam natürlich nicht infrage. Wenn Mum Wind davon bekam, dass ich die Schule schwänzte, wäre die Hölle los.

Ich biss mir auf die Lippe.

»Sicherheitsgurt«, kommandierte Joe, als er den Zündschlüssel im Schloss drehte.

Gehorsam schnallte ich mich an, während der Lieferwagen losruckelte.

»Ich bin fällig, wenn ich zu spät komme – und ich bin genauso fällig, wenn ich überhaupt nicht erscheine«, seufzte ich.

»So wie ich die Sache sehe«, meinte Joe und warf einen Blick nach rechts, als er auf die Hauptstraße bog, »musst du selber die Zügel in die Hand nehmen. Ganz egal wie du dich entscheidest – du musst den ersten Schritt machen, bevor ihn jemand anders macht.«

»Was soll das heißen?«

»Sagen wir mal, du entscheidest dich, zur Schule zu gehen. Wenn du ankommst, marschierst du sofort ins Sekretariat oder ins Lehrerzimmer und schaust demjenigen, den du da vorfindest, direkt in die Augen.«

»Na klar!«, erwiderte ich höhnisch. »Und der sagt mir dann, wie schön es ist, mich zu sehen, und alles ist im grünen Bereich. Mann, das bringt's doch nicht!«

Er lachte.

»Du brauchst nichts weiter zu sagen, als dass dir deine Verspätung wahnsinnig Leid tut, aber dass ihr, deine Mutter und du, eine Panne gehabt habt und du den restlichen Weg zu Fuß gehen musstest...«

»Meine Mutter hat nicht mal einen Führerschein.«

»Okay.« Er trat auf die Bremse, als die Kreuzung vor uns auftauchte. »Wie wär's dann damit? Du hast leider knapp den Bus verpasst, ein Typ hat dir angeboten, dass er dich mit dem Auto mitnimmt, aber du würdest hundertmal lieber eine Unterrichtsstunde verpassen, als dich von einem fremden Mann mitnehmen zu lassen. Und deshalb bist du zu Fuß gegangen und so spät dran!«

Er warf den Kopf nach hinten und brüllte vor Lachen über seinen Einfall.

Vielleicht habe ich mich ja schon in dem Moment in ihn verliebt.

Auf jeden Fall hat mein Körper da an Stellen geprickelt, die sich bisher noch nie bemerkbar gemacht hatten.

»Na gut«, sagte ich. »Ich kann's ja mal probieren.«

»Das ist doch schon was«, erwiderte Joe grinsend. »Aber wie fahre ich jetzt?«

»Sorry – gleich links und dann rechts auf die vierspurige Straße, und dann ist es die zweite Ausfahrt. Etwa vier Meilen, ist das okay? Wohnst du auch hier in der Gegend?«

Joe schüttelte den Kopf.

»Ich komme etwa einmal pro Woche her, weil ich hier das eine oder andere laufen habe«, sagte er. »Projekte.«

»Das heißt, du bist auf dem College? Oder hast du schon einen Job?«

Er lachte und rammte den Schaltknüppel in den höchsten Gang.

»Ich studiere das Leben!«, antwortete er grinsend, »und versuche dabei rauszukriegen, was ich genau damit anstellen will. Und du? Ich meine, was willst du mit deinem machen?«

Ja, und von da an bis kurz vor meiner Schule redeten wir über alles. Nein, natürlich nicht über alles. Ich erzählte nichts von Mum und Dad und Tom und davon, wie es war, in meiner Haut zu stecken. Und er erzählte mir auch nichts über seine Familie oder Freunde. Noch nicht. Stattdessen redeten wir über Schicksal und Bestimmung und den Sinn des Lebens. Über vieles von dem, was Joe sagte, hatte ich mir noch nie Gedanken gemacht – zum Beispiel darüber, dass wir alle auf dem langen Weg durchs Leben sind und die Wegweiser lesen müssen und den Zeichen auf unserem Pfad folgen, wenn wir dahin kommen wollen, wo unsere Bestimmung ist. Dass wir Dinge tun müssen, statt sie uns antun zu lassen. Er sagte noch eine Menge mehr in der Richtung, und ehrlich gesagt verstand ich höchstens die Hälfte davon, aber das spielte keine Rolle, weil es mir schon reichte, nur seine Stimme zu hören.

»Halt am besten hier an!«, rief ich, als wir von der großen Straße in die Mortimer Road abbogen. »Das da oben auf dem Hügel ist meine Schule.«

Joe fuhr an den Straßenrand.

»Denk dran«, sagte er. »Blick ihnen ins Gesicht, und lass nicht zu, dass sie dich fertig machen. Okay?«

»Okay!«

Und dann sagte ich etwas Saublödes. Alice wäre durchgedreht und hätte mich für total uncool erklärt.

»Sehen wir uns wieder?«

Joe schaute mir direkt in die Augen.

»Das«, sagte er, »hängt davon ab.«

»Wovon?«, flüsterte ich.

»Vom Schicksal, von der Vorsehung.«

Er beugte sich zu mir herüber, so dicht, dass ich seinen Atem auf meinem Hals fühlen konnte.

»Und von dir.«

Mit diesen Worten schob er den ersten Gang rein, und schon im nächsten Moment spritzte der Schlamm hoch, als er davonbrauste.

Während ich langsam zur Schule hinaufmarschierte, empfand ich eine seltsame Hochstimmung. Es war, als hätte ich lange Zeit in einer fensterlosen Kiste gelebt und dann wäre plötzlich jemand vorbeigekommen und hätte einen Schlitz in die Pappe geschnitten. Der Schlitz war zwar winzig, aber doch groß genug, damit ich sehen konnte, dass sich der Blick nach draußen lohnte.

Und dass ich vielleicht sogar aus meiner Kiste rauskrabbeln könnte.

So hat alles angefangen. Und so ist es dazu gekommen, dass ich heute, ein Jahr später, mit genau fünfzehneinhalb, am Fußende meines Bettes sitze, in meinem ausnahmsweise mal ordentlich aufgeräumten Zimmer, während mein Rucksack gut versteckt hinten im Kleiderschrank liegt, voll mit neuen Klamotten.

Selbst die Klamotten waren Joes Idee und er hat die meisten für mich gekauft. Er hat mir sogar ein Wahnsinnsparfüm gekauft –

Beginnings heißt es, und er sagte dazu, dies wäre ja auch der Beginn eines neuen Lebens für mich. Er ist so aufmerksam. Aber mit dem Parfüm hab ich Mist gebaut. Er hat es mir letzte Woche geschenkt, und es roch so toll, dass ich mich auf dem Heimweg gleich damit einsprühen musste, aber natürlich kann man so was vor Mum nicht verheimlichen.

»Was soll denn das?«, wollte sie wissen. »Ich hoffe, du hast dein Kleidergeld nicht für irgendeinen billigen Duft verplempert!«

Ich erzählte ihr, ich wäre bei Alice gewesen, und sie hätte mir ihr Pröbchen aus der Zeitschrift *Heaven Sent* gegeben, und das schien sie mir abzunehmen. Sie brummelte noch ein bisschen weiter in der Richtung, ich würde wie eine Schlampe riechen, und wenn sie mich jemals dabei erwischen sollte, Geld für so einen Schund auszugeben, dann würde sie mich zur Schnecke machen – aber solche Sprüche kannte ich schon zur Genüge. Zumindest hat sie nie die Tüte mit Anziehsachen entdeckt, die Joe mir geschenkt hat.

Ich wollte wirklich nicht, dass er Geld für Klamotten ausgibt, aber er sagte, wenn ich etwas von dem tragen würde, was sonst bei mir im Kleiderschrank hängt, brauchte Mum nur nachzusehen, was fehlt, und könnte der Polizei eine ganz genaue Beschreibung geben, und man würde uns womöglich schnappen, bevor wir auf der Farm waren, in Sicherheit.

Ich kriegte schon ein bisschen Angst, als er mit der Polizei anfing, aber er sagte, ich sollte mir mal keine Sorgen machen. Wir kommen ja in einer, höchstens zwei Wochen wieder zurück. Und es geht echt nur darum, Mum einen Schrecken einzujagen – damit sie begreift, dass sie mich nicht so behandeln kann, wie sie es das letzte Wochenende getan hat. Okay, sie hat's nicht so gemeint, aber sie muss wirklich dringend zum Arzt und sich etwas gegen ihre Zustände verschreiben lassen. Sie macht mir richtig Angst.

Mum kann jeden Moment zurück sein. Sie war auf dem Elternabend meiner Schule, also weiß der Himmel, in welcher Laune sie ist. Früher gab es in der Hinsicht nie Probleme, aber in letzter Zeit hacken die Lehrer auf mir rum – weil meine Noten schlechter werden und ich mich angeblich nicht genug konzentriere – und das werden sie garantiert auch Mum erzählen. Ein Glück, dass Grace da ist; sie sitzt unten, passt auf Tom auf und guckt eine Seifenoper. Wenn Mum heimkommt, werden die beiden sich bestimmt einen Drink genehmigen. Ausnahmsweise hoffe ich direkt, dass sie sich ein paar Gläser reinzieht, weil sie im ersten Schwips immer total süß und rührselig wird – bevor es dann irgendwann mit ihr durchgeht. Und diese lockere Stimmung will ich ausnutzen, um ihr von morgen zu erzählen – natürlich nicht die Wahrheit, sondern mein Superalibi.

Bis sie rauskriegt, dass alles gelogen war, werde ich schon mit Joe unterwegs sein, weit weg, ohne dass sie die leiseste Ahnung hat, wo ich stecke.

Geschieht ihr ganz recht.

Ich will doch hoffen, dass sie mich richtig vermisst.

Lydia

Donnerstag, 28. Juni
20:15 Uhr

*M*ir brennen die Füße. Was für ein Stress! Ich weiß selbst nicht, warum ich da überhaupt hingegangen bin. Diese Elternabende bringen doch gar nichts. Na ja, jedenfalls nicht, wenn man ein Kind wie Katie hat. Mit Tom ist das anders. Niemand erwartet viel von ihm, und wenn er es dann doch schafft, etwas Neues zu machen oder sich beim Essen nicht zu bekleckern, sind die Lehrer schon ganz aus dem Häuschen und finden, dass du deinen Job toll gemacht hast, dass du eine tolle Mutter bist.

Aber mit Katie gibt es nichts als Probleme. Sie war schon immer blitzgescheit, mit einem scharfen Verstand. Weiß der Himmel, von wem sie den hat – jedenfalls nicht von ihrem Vater. Natürlich bin ich selbst nicht auf den Kopf gefallen, nur dass meine Lebensumstände es mir nicht erlaubt haben, das Beste aus mir herauszuholen. Aber ich will mich nicht beklagen. Ich habe mich nie beklagt. Das bewundern die Leute an mir.

Das Problem mit Katie ist, dass sie nicht erkennt, welches Glück sie hat. Wenn ich ihre Chancen gehabt hätte, wer weiß, wie weit ich gekommen wäre. Pipers Court ist ja nicht irgendeine Schule – sie landet regelmäßig unter den Topten von Englands Gymnasien. Wenn ich das Schulgeld bezahlen müsste, wäre sie längst nicht mehr da, aber nach Jarvis' Tod fand ich in seinen Unterlagen die Belege dafür, dass er schon alles im Voraus bezahlt hatte, bis zu ihrer Volljährigkeit. Ich war stinksauer und echt überrascht, dass er noch so eine hohe Summe in petto gehabt hatte – wenn ich an all sein Gerede denke, wir könnten uns keinen Urlaub leisten, und ich sollte mir endlich einen Job besorgen. Nach allem, was passiert war, hätte es weiß Gott eine bessere Verwendung für diesen Batzen Geld gegeben. Aber mir waren die Hände gebunden; ich konnte es nicht zurückholen.

Sie sind sehr nett gewesen, die Lehrer – das muss ich ihnen lassen. Nach Jarvis' Tod verging keine Woche, ohne dass einer von ihnen anrief, um zu fragen, wie es uns ging, und zu sagen, dass sie ein Auge auf Katie hätten, darauf achten würden, dass sie sich einigermaßen hielt. Ich erklärte ihnen, sie müssten sich keine Sorgen machen: Katie käme schon zurecht. Ich war diejenige, die zu kämpfen hatte, schon wegen der Belastung mit Tom und dem Tod meines geliebten Jarvis. Ich weiß, dass sie alle von meiner Tapferkeit beeindruckt waren, aber wie ich immer sage: Aufgeben gilt nicht. Wir müssen alle unser Kreuz tragen. Bewundernswert sei ich, behaupteten sie. Bewundernswert und so tapfer.

Und alle finden, dass Katie ein tolles Mädchen ist, aber sie müssen ja auch nicht mit ihr leben. Nein, nein, das war jetzt nicht fair. Eigentlich kann ich stolz auf sie sein und lieb hab ich sie sowieso. Schrecklich lieb. Nur dass sie so eigensinnig ist und – na ja, eben ein typischer Teenager. Und bislang war sie viel zu sehr daran gewöhnt, dass alles immer nach ihr ging. Das ist natürlich Jarvis' Schuld. Als ich meinen ersten Anfall von... von Depressionen hatte, meinte er, ich müsste mich in den Griff kriegen, weil Katie sich sonst aufregen würde. Es war, als wäre ihm ihr Glück wichtiger als meins. Er ist schon immer verrückt nach ihr gewesen, aber als wir dann Tom kriegten und erfuhren, dass er nie ganz normal werden würde, war es, als würde Jarvis seine ganze Liebe und Aufmerksamkeit auf Katie konzentrieren. Wenn sie mit einem guten Zeugnis heimkam, kaufte er ihr sonstwas. Als sie den Theaterpreis ihrer Schule gewann, sorgte er dafür, dass die

Lokalzeitung ein Foto von ihr brachte. Ich sagte ihm, er würde sie verhätscheln, aber er lachte bloß. Ich hatte natürlich Recht. Und wer muss sich jetzt mit ihr rumschlagen? Ich. Immer bleibt alles an mir hängen.

Aber ich hasse mich echt dafür, wenn ich auf sie losgehe. Ich sehe einfach – na ja, IHN, und dann denke ich, wie schrecklich ich zu... Nein, was sollen diese Erinnerungen. Ich tue nun wirklich mein Bestes und werde mich nicht unterkriegen lassen.

Als ich heute Abend in die Schule kam, war ich ganz darauf eingestellt, in einer halben Stunde wieder draußen zu sein. Ich hatte Grace gebeten, Tom zu hüten – Katie kommt nicht mit ihm klar, wenn er einen von seinen Schreikrämpfen kriegt –, und ich freute mich schon aufs Heimkommen und eine Cola mit Brandy und einen netten kleinen Schwatz. Aber sobald sich die Schultür hinter mir schloss, ging es los mit dem Stress. Zuerst fing mich Mrs Wainwright, Katies Vertrauenslehrerin, mit den Worten ab, dass ihre Noten abrutschen und ob zu Hause denn alles in Ordnung sei.

Absolut bestens, wollte ich sagen – wenn man mal den toten Ehemann und den verrückten, Verzeihung, lernbehinderten Sohn außer Acht lässt. Aber natürlich verkniff ich mir die Bemerkung.

»Wir kämpfen uns schon durch, Mrs Wainwright«, entgegnete ich mit einem freundlichen Lächeln. »Aber ich werde mal ein ernstes Wort mit Katie reden. Teenager – in dem Alter strengen sie sich einfach nicht mehr an, stimmt's?«

Mrs Wainwright nickte und erwiderte mein Lächeln. Ich denke mir mal, dass sie nicht allzu viele Eltern kennt, die für diese Probleme Verständnis haben.

»Natürlich«, fügte sie hinzu, »dürfen wir nicht vergessen, dass Katie eine Menge nachholen musste, nachdem sie sich bei dem Sturz vom Fahrrad den Arm gebrochen hat.«

An diese Sache wollte ich wirklich nicht erinnert werden, also stand ich auf und versprach ihr, dafür zu sorgen, dass Katie sich am Riemen riss. Ich sagte ihr, ich würde nicht dulden, dass meine Tochter irgendwelche Dummheiten machte, und ich könnte ihr garantieren, dass von jetzt an alles wieder besser werden würde. Darauf schwenkte sie auf das Thema Trauerarbeit um und faselte etwas davon, dass man jedem die Zeit zur Umstellung geben müsse, aber ich nickte nur und lächelte und marschierte weiter in Mr Stokers Sprechstunde.

Ich mag Mr Stoker richtig gern – Barry heißt er mit Vornamen. Er ist der Typ Mann, mit dem es hinhauen könnte, wenn er nicht schon verheiratet und Katies Mathelehrer wäre.

»Ah, Mrs Fordyce, wie schön, Sie wieder zu sehen!«, sagte er, als ich mir einen Stuhl an seinen Schreibtisch zog. »Na, dann lassen Sie mich mal nachschauen – ach ja!«

Er zog einen Ordner mit der Aufschrift KATIE FORDYCE – 10. KLASSE – heraus und warf einen Blick hinein.

»Ich verstehe nicht ganz, was los ist«, murmelte er und zupfte sich dabei an seinem Ziegenbärtchen. »Letztes Jahr war Katie so gut – bei ihrem mathematischen Verstand hatte ich schon große Hoffnungen in sie gesetzt.«

Ich schwieg. Ich merkte an seiner Stimme, dass die großen Hoffnungen mittlerweile ziemlich geschrumpft sein mussten.

»Aber dieses Jahr«, fuhr er mit einem tiefen Seufzer fort, »dieses Jahr kommt sie einfach nicht mehr mit.«

Er sah mich forschend an. Der Mann hat wirklich wunderschöne Augen.

»Gibt es dafür einen Grund?«

Ich senkte die Augen und biss mir auf die Lippen, was ihm die Zeit ließ, sich besorgt zu mir vorzubeugen.

»Der Tod meines Mannes – das ist jetzt zwar schon eine Weile her, aber es hat uns alle schwer getroffen.«

Ich legte mir eine Hand auf die Stirn.

»Liebe Mrs Fordyce, das verstehe ich nur zu gut«, sagte er und nickte auf eine Weise, dass ich schon dachte, er würde mir gleich die Hand tätscheln. »Machen Sie sich mal keine Sorgen – ich bin sicher, dass Katie bald wieder voll dabei ist. Ein reizendes Mädchen – das ist Ihr Verdienst.«

Ich lächelte, strich ganz kurz über seine Hand und machte mich dann auf den Weg zu Miss McAllister, der Geschichtslehrerin.

Ich hatte sie noch nicht kennen gelernt – sie war erst im letzten Halbjahr gekommen und wirkte nicht mal alt genug, um zu studieren, vom Unterrichten ganz zu schweigen. Ich hätte sie höchstens auf achtzehn geschätzt mit ihrem ingwerfarbenen Haar und den vielen Sommersprossen und dem albernen perlenbestickten Strickjäckchen, das ein Stück Taille entblößte.

»Ah ja«, fing sie schon an. »Mrs Fordyce – Katies Mutter?«

Ich nickte.

Sie blätterte einen Stapel Papier durch.

»Ich muss gestehen, dass ich mir ein bisschen Sorge um Katie mache«, erklärte sie dann mit einer hauchigen Klein-Mädchen-Stimme. »Aber vielleicht können Sie mir ja helfen.«

Sie blickte erwartungsvoll auf.

»Ich werd's versuchen«, sagte ich.

»Als ich hierher kam, hieß es, sie sei eine unserer begabtesten Schülerinnen.«

Ich nickte.

»Das war sie schon immer«, sagte ich. »Allerdings hab ich sie auch immer gefördert – ihr Bücher gekauft und so weiter, wissen Sie. Nicht alle Eltern geben sich solche Mühe.«

Miss McAllister schien diese Bemerkung nicht sonderlich zu beeindrucken.

»Anfangs hat sie ja auch prima mitgearbeitet«, fuhr sie fort. »Aber neuerdings ...«

Sie seufzte.

»Jetzt reicht sie ihre Hausaufgaben zu spät ein, und man sieht ihnen an, dass sie hingehauen sind, voller Flüchtigkeitsfehler – aber trotzdem weiß ich, dass sie einen scharfen Verstand hat. Was ist da los?«

Ich weiß selbst nicht, warum ich daraufhin so losplatzte – außer dass ich in den Wechseljahren bin und es wahrscheinlich nicht allzu viele Frauen gibt, die das durchmachen, worunter ich gerade zu leiden habe.

»Könnte es sein, dass Sie einfach eine schlechte Lehrerin sind?«, fragte ich. »Katie ist helle, das haben Sie selber gesagt. Also muss es an Ihnen liegen.«

Miss McAllister lief knallrot an – typisch für Leute mit ingwerfarbenen Haaren – und fing an zu husten.

»Ich – ich glaube nicht, dass es das ist«, murmelte sie. »Jedenfalls hoffe ich das nicht.«

Sie schluckte laut.

»Gibt es vielleicht irgendetwas, das Katie besonders beunruhigt? Irgendwelche Probleme zu Hause? Nach dem vorzeitigen Tod Ihres Mannes müssen Sie doch sehr erschüttert sein.«

»Oh ja«, erwiderte ich mit einem Nicken. »Es ist schon schwer.«

Ich betupfte meine Augen mit einem Taschentuch, aber die Frau laberte einfach weiter.

»Könnte es sein, dass Sie es in Ihrer ganz persönlichen Trauer nicht geschafft haben, mit Katies emotionalen …«

Das reichte.

»Ah, ich verstehe!«, sagte ich und schlug mit der Faust auf den Tisch. »Das ist typisch für euch Lehrer, echt typisch! Ein Kind beschließt, nicht mehr ordentlich zu arbeiten, und sofort liegt es am Versagen der Mutter. Dieses Mädchen verliert das Interesse an Ihrem Fach, und Sie denken sofort, dass ihr gesamtes häusliches Umfeld zusammengebrochen ist. Aber was wissen Sie schon?«

»Mrs Fordyce, bitte«, begann sie, aber ich wollte mir nichts weiter bieten lassen.

»Sie sind vielleicht gerade mal aus den Windeln raus und meinen schon, einen Haufen psychologisches Geschwafel an eine Frau loslassen zu können, die alt genug ist, um Ihre Mutter sein zu können! Sie haben wirklich Nerven! Ich hätte nicht übel Lust, Sie...«

Wahrscheinlich hätte ich noch eine Weile in dem Tenor weitergemacht, wenn mir nicht plötzlich bewusst geworden wäre, dass es im ganzen Raum sehr still geworden war. Man hätte buchstäblich eine Stecknadel fallen hören können. Ich warf einen Blick zur Seite. Alle schauten mich an, und aus dem Augenwinkel sah ich, wie Mrs Wainwright auf mich zumarschierte.

»Was gibt es hier für ein Problem?«, fragte sie, während das Stimmengewirr im Raum allmählich wieder einsetzte.

»Das Problem, Mrs Wainwright«, sagte ich, »sitzt hinter diesem Tisch.«

Ich deutete auf die mittlerweile puterrote Miss McAllister und ließ mich dann zu einem, wie ich hoffte, verständnisvollen Lächeln erweichen.

»Aber seien Sie bitte nicht zu streng mit ihr. Sie ist jung. Das Unterrichten ist neu für sie. Genau wie das Leben.«

Ich neigte den Kopf in Miss McAllisters Richtung.

»Sie brauchen sich nicht zu entschuldigen, meine Liebe«, sagte ich und hielt dabei abwehrend eine Hand hoch. »Ich habe selbst eine Menge über Stress im Klassenzimmer gelesen. Lassen Sie uns einfach vergessen, was Sie da Schreckliches gesagt haben, einverstanden?«

Miss McAllister machte den Mund auf, aber ich redete einfach weiter.

»Ja, ich weiß, ich könnte Sie melden – aber ich werd's nicht tun. Wir alle müssen dazulernen, nicht wahr, meine Liebe? Und wenn Sie mich jetzt bitte entschuldigen – ich muss zurück zu meinem armen Tom. Er ist behindert, wissen Sie. Es ist nicht leicht... aber was will man machen.«

Ich weiß nicht, was Mrs Wainwright zu Miss McAllister sagte. Ich bin jedenfalls nicht so lange dageblieben, um es herauszufinden.

Aber ich gehe mal davon aus, dass sie das letzte Wort behalten hat.

Kein Wunder, dass ich fix und fertig bin. Trotzdem hatte ich das Glück, dass gerade ein Bus vorbeikam, als ich die Straße vor der Schule überquerte. Ich werde also in höchstens zwanzig Minuten zu Hause sein und mir gleich einen ordentlichen Drink einschenken. Meine Güte, den kann ich jetzt brauchen.

Wenn Jarvis da wäre, müsste ich mir natürlich wieder mal anhören, dass Alkohol die Probleme des Lebens nicht klären hilft. So wie er sich darüber immer ausgelassen hat, hätte man meinen können, ich wäre eine regelrechte Alkoholikerin. Er hat nie verstanden, dass ein Schlückchen Brandy gegen den Flattermann hilft. Es gibt so vieles, was Jarvis nie verstanden hat.

Aber er ist nicht mehr da. Obwohl es Zeiten gibt, wo ich mir einbilde, er würde direkt neben mir stehen, mir leise ins Ohr flüstern.

»Lyddy, Lyddy, jetzt beruhige dich doch!« Das sagte er immer, wenn ich einen von meinen Anfällen hatte. Manchmal, wenn Katie mich verrückt macht oder ich anfange, die Kontrolle zu verlieren, kann ich beinahe seine Hand auf meiner Schulter spüren, die mich sanft in den nächsten Sessel schiebt. Natürlich weiß ich, dass er nicht da ist – auch wenn ich ab und an ein Beruhigungsmittel nehme, bin ich noch lange nicht verrückt. Trotzdem kriege ich dann eine Gänsehaut.

Bin ich froh, wenn ich wieder zu Hause bin! Ich wette, Katie ist schon ins Bett gegangen. Denkt sich wahrscheinlich, dass ihr die Standpauke erspart bleibt, wenn sie sich schlafend stellt. Na, da irrt sie sich aber gewaltig.

Trotzdem brauche ich zuerst meinen Drink.

Katie kann warten.

Tom

Donnerstag, 28. Juni
20:35 Uhr

*I*rgendetwas ist faul. Das weiß ich.

Irgendetwas ist anders.

Aber was?

Das Haus riecht wie sonst auch. Wenn sich Dinge verändern, dann ändern sich manchmal auch die Gerüche, wie damals, als sie Dad mit einem Tuch überm Kopf weggebracht haben. Dauernd kamen Leute mit Blumen, bis das ganze Haus wie die Wiese im Park roch, wo sie mich in meinen Buggy gesetzt haben, während Katie auf die Schaukel ging.

Aber jetzt fühlt es sich auch ohne Besucher anders an. Grace, die in dem Haus mit der blauen Tür wohnt, ist ja kein richtiger Besucher. Grace ist okay. Sie hetzt nicht rum wie andere Leute und schleicht sich nicht von hinten an mich ran, was mich immer erschreckt. Andere Besucher als Grace kann ich nicht besonders leiden. Manchmal kommen Leute ins Haus, weil sie was von Mum wollen, und gucken mich nicht mal an. Gucken an mir vorbei und reden nicht mit mir. Das macht mich echt wütend. Ich schreie sie an und wedle mit den Händen, damit sie auf mich aufmerksam werden, aber das bringt nie was. Sie nehmen nur ihre Handtaschen und sagen, dass sie wirklich wieder losmüssen, oder sie verschwinden mit Mum in der Küche. Sie bleiben nicht mal stehen, um rauszufinden, was ich will. Blöde, blöde Leute.

Doch, jetzt weiß ich, was anders ist: Katie ist in ihrem Zimmer. Da sollte sie nicht sein, noch nicht. Sie macht zwar ihre Hausaufgaben oben, aber dann kommt sie runter und sieht fern oder redet mit mir und guckt sich meine Zeichnungen an. Ich kann gut zeichnen. Vielleicht bin ich ja nicht in vielem gut, aber in Zeichnen bin ich ein Ass. Das ist ein neues Wort: Ass. Es gefällt mir. Katie hat es mir beigebracht. Es bedeutet echt, echt gut; der Beste. Das hat Katie gesagt.

Warum ist Katie nicht runtergekommen? Irgendwas ist faul und ich will Katie. Sofort.

KATIE! KATIE!

Jetzt regt Grace sich auf. Das tut sie immer, wenn ich schreie und sie mich nicht verstehen kann. Nein, Grace. Nein! Ich will nichts trinken, ich will keine Geschichte und auch kein anderes Programm im Fernsehen. KATIE! Ich will Katie!

Irgendwas ist hier faul. Irgendwas passiert hier, das einfach nicht passieren dürfte.

Das fühle ich im Hinterkopf. Dort kann ich alles Mögliche fühlen. Ich finde keine Worte, um meine Hinterkopfgefühle zu beschreiben, aber wenn ich sie kriege, weiß ich, dass sie etwas bedeuten. Ich hab sie zum Beispiel gekriegt, bevor Dad gestorben ist. Ich wusste an dem Nachmittag, dass Dad nicht zum Teetrinken reinkommen, mich nicht hochheben und mir nicht »Tom, Tom the Piper's Son« vorsingen würde. Es war wie ein großer Ruck, der in meinem Hinterkopf anfing und dann durch meinen ganzen Körper flutschte, bis er mir raus aus den Zehenspitzen fuhr.

Ich heulte und brüllte und hämmerte mit den Fäusten gegen die Wand, aber niemand nahm Notiz davon. Mum gab mir nur was in der Deckeltasse zu trinken und sagte, ich hätte einen schlechten Tag. Katie legte eine CD auf, damit ich gute Laune kriegte. Aber man kann keine gute Laune kriegen, wenn die

35

Hinterkopfgefühle kommen. Sie bedeuten immer etwas. Sie haben Botschaften. Man kann sie nicht einfach mit schwarzem Johannisbeersaft und Marschmusik verjagen.

KATIE! WO BIST DU? Wenn ich richtig laut schreie, dann wird sie schon kommen. Wenn ich dazu noch um mich trete und mit meinem Stuhl weit nach hinten kipple, wird Grace vielleicht Katie rufen und ihr sagen, dass sie Hilfe mit mir braucht. Und wenn ich etwas richtig Schlimmes mache, irgendwas, das ich lange nicht gemacht habe, dann kommt Katie vielleicht noch schneller.

KATIE!

Blumentopf. Voll matschiger Erde. Auf den Boden. Igitt.

KATIE!

Jetzt sagt Grace, dass es nicht schlimm ist und dass sie einen Wischlappen holt. Aber ich will doch gerade, dass es schlimm ist, kann sie das denn nicht verstehen? Ich will Katie. Jetzt sofort.

Die denken nämlich, ich wäre blöd. Sogar Katie, und dabei ist Katie netter zu mir als alle anderen. Sogar netter als Mum. Mum ist die Zuverlässigste, Katie die Netteste. Mum schreit, aber mich schreit sie nie an. Ich mag es nicht, wenn sie Katie anschreit, aber sogar das ist etwas Zuverlässiges, weil es dabei ein Muster gibt. Ich mag Muster. Bei Mustern weiß man, woran man ist. Das Muster, wenn Mum schreit, ist immer dasselbe. Sie schreit Katie an, dann brüllt Katie zurück, dann wirft Mum irgendwas nach Katie oder haut sie, dann rennt Katie weg und ich weine und wiege mich. Und dann schlingt Mum ihre Arme um mich und wir wiegen uns zusammen. Manchmal zehnmal, manchmal auch mehr. Ich kann in meinem Kopf nicht weiter als bis zehn zählen, also zähle ich immer in Zehnern.

Nach einer Weile fängt Mum an zu reden. Ganz leise, so leise, dass man fast zu atmen aufhören muss, um sie zu verstehen.

»Armer kleiner Mann, armer kleiner Mann in der Falle«, sagt

sie. Das bin ich – der kleine Mann. Ich weiß es, weil sie mir dabei über die Wange streicht und mich auf den Kopf küsst. »Genau wie ich – in der Falle!«

Ich weiß nicht, was das bedeutet – in der Falle –, aber es muss wohl etwas Gutes sein, weil Mum das auch ist und sie praktisch alles machen kann. Sie kann Hühnchen mit Pommes machen und Papierschiffchen falten und so am Telefon reden, dass die anderen Leute verstehen, was sie sagt. Und wenn sie einen Schreiheul-Tag hat, kann sie das Schreien und Heulen abstellen, wenn es an der Tür klingelt oder der Fensterputzer kommt. Einfach so. Auf der Stelle.

Ich kann das nicht.

Sobald das Schreien anfängt, geht es einfach immer weiter, bis es sich von selber abstellt. Mir macht das nichts aus – wenn das Schreien kommt, fühle ich mich nicht mehr unsichtbar. Ich mache den Mund auf und die Wut und die unheimlichen Gefühle und die glühend heißen Schmerzen ergießen sich auf den Fußboden und fließen über den ganzen Teppich und dann fühle ich mich nur noch leer und eisig und still.

Und dann sitze ich einfach da und gucke. Ich gucke mir alles Mögliche an. Ich gucke mir gern die Tapete an. Sie ist gelb und weiß, und wenn man sie länger ansieht, bewegen sich die weißen Teile und bilden Formen und Muster.

Wie ich schon sagte, ich mag Muster.

Da kommt jetzt Grace mit dem Lappen und wischt den Dreck weg. Sie hat immer noch nicht nach Katie gerufen, also hat es nichts gebracht. Ich muss mir wohl wehtun.

Wenn es wehtut, kommen alle angerannt. Das klappt immer.

»Katie, Süße! Kommst du mal schnell runter?« Grace klingt schon richtig besorgt und dabei habe ich erst dreimal geknallt. Mit dem Kopf knallen bringt es immer. Manchmal kriegt man sogar die Hinterkopfgefühle weg, wenn man nur fest genug knallt, weil der Schmerz das andere Gefühl vertreibt. Also bringt es auch deswegen was.

Ich höre Katie. Klipp, klapp, stampf, Sprung. Über die letzten drei Stufen macht sie immer einen großen Satz. Ja, Katie kann große Sätze machen – ich nicht.

Jetzt rieche ich, wie sie ins Zimmer kommt. Es ist eine Art trockener, holziger Geruch, anders als sonst. Sonst riecht sie nach Meer und Wind, aber dieser Geruch ist anders. Katies neuer Geruch bringt wieder das Hinterkopfgefühl zurück.

KATIE! KATIE!

Sie legt mir die Hände auf die Schultern.

»Hör auf, Tom! Was ist denn los? Sag's Katie.«

Ich höre auf zu schreien.

Ich sehe sie an.

Sie mustert mich forschend, mit gerunzelter Stirn, und beugt sich zu mir runter. Dabei streckt sie ihr spitzes Kinn vor.

»Tom?«

Und plötzlich weiß ich es.

Es hat mir ihr zu tun. Das, was hier faul ist, hat mit Katie zu tun.

Es geht in ihrem Kopf vor, und ihr Gesicht ist anders, weil sie an ES denkt und nicht wirklich an mich.

WAS IST LOS, KATIE?

»Alles in Ordnung, Tom, psst, es ist alles in Ordnung«, sagt sie.

Nichts ist in Ordnung.

Ich muss etwas tun, damit ES nicht passiert, aber ich weiß nicht, was. Wenn Dad hier wäre, wüsste er schon, was man dagegen machen kann. Dad wusste alles. Dad hat es sogar hingekriegt, dass Mum mit dem Weinen aufhörte.

Zumindest manchmal.

DAD! DAD! ICH WILL DAD!

Katie fasst mich am Arm, setzt sich neben mir auf den Fußboden und streckt die Beine vor sich aus, damit ich mich draufsetzen kann. Sie hat ihre neuen, glänzenden Turnschuhe an; silbern wie die Kugeln am Baum im Fenster, wenn Weihnachten ist.

»Dad ist nicht da, Tom«, sagt sie und zieht mich auf ihren Schoß.

»Hat er nach seinem Dad gerufen?«, fragt Grace leise.

Katie nickt. Katie versteht, was ich sage, jedenfalls das meiste.

»Dad ist nicht da«, sagt sie noch einmal.

Das weiß ich selber. Aber wenn ich meine Augen fest zusammenkneife und die Luft anhalte, dann kann ich ihn vor mir sehen. Kann ihn riechen. Kann den groben Stoff seiner alten Gärtnerjacke an meinen Fingern spüren. Ihn die extra starken Pfefferminzbonbons lutschen hören, die er so sehr mag. Mochte.

»Armer Junge«, sagt Grace. »Vermisst seinen Dad.«

Sie nimmt meine Hand und schaut mir direkt in die Augen. Das tun nicht viele Leute.

»Nicht traurig sein, Tom«, sagt sie. »Du hast ja noch deine Mum. Und Katie.«

Und da sehe ich es. Aus einem Augenwinkel: einen langen, dünnen schwarzen Schatten, der blitzschnell über Katies Gesicht huscht.

»Du hast deine Katie richtig lieb, was, Tom?«, gurrt Grace.

Ich drehe den Kopf und gucke Katie an.

Einen Moment lang begegnen sich unsere Blicke. Wieder huscht der Schatten über ihr Gesicht.

Dann sieht sie weg.

Also weiß ich es jetzt sicher.

Irgendwas passiert mit Katie – und sie weiß genau, was passiert.

Sie will sogar, dass es passiert.

Es ist nichts zum Glücklichmachen. Es ist schlecht. Dunkel. Stachlig.

Aber es passiert schon bald und ich kann überhaupt nichts dagegen machen.

DAD! DAD! DAD!

Nein, Dad ist weg.

Die anderen sagen, er ist tot. Tot heißt, dass man weggebracht wird und die Leute weinen und einen nie mehr wieder sehen.

Ich weiß nicht, wohin man gebracht wird. Das hat mir niemand erklärt. Sie gaben mir nur einen Löffel klebriger Medizin und sagten, ich sollte bei Grace bleiben. Dann fuhren sie in schwarzen Autos weg und kamen wieder und aßen Brot mit hart gekochten Eiern und tranken Tee.

Niemand erklärte mir, wo ›tot‹ war und wie man da hinkam.

Aber von ›tot‹ kommt man nicht zurück. Das haben sie mir zumindest gesagt.

»Hör mal, Tom, Mum ist wieder da!«

Katie schiebt mich von ihrem Schoß und springt auf, schüttelt mich einmal durch, lächelt und zeigt mit dem Finger Richtung Flur.

Ich höre die Haustür zuknallen, höre Mum seufzen, als sie aus ihren Schuhen steigt, höre die Schuhe eins, zwei, auf den Boden vom Flurschrank fallen.

Noch immer kann ich meinen Dad riechen. Aber er ist nicht da.

Sie haben mir erzählt, dass ›tot‹ bedeutet, für immer weg zu sein. Also weiß ich, dass er, ganz egal wie es sich anfühlt, nicht wirklich da ist.

Wie ich schon sagte, ich bin ja nicht blöd.

Grace

Donnerstag, 28. Juni
20:40 Uhr

*E*in Glück, dass sie wieder da ist. Ich glaube, ich werde langsam zu alt zum Kinderhüten.

Hoffentlich regt Lydia sich nicht zu sehr über den Fleck auf dem Teppich auf. Er kann ja nichts dafür, der arme Junge, aber er hält einen ziemlich in Trab.

»Tom, hör mal, deine Mum ist wieder da!« Ich will ihm schon die Schulter tätscheln, bis mir einfällt, dass man ihn nicht anfassen darf – nicht wenn er in dieser Stimmung ist.

Ich muss zugeben, dass ich mich langsam frage, ob Bill nicht doch Recht hat. »Lass dich da bloß nicht zu sehr ein« – das hat er gesagt, als Lydia verkündete, sie werde ins Dorf ziehen. Wir sind seit unserer Kindheit befreundet. Selbst damals hat der Altersunterschied keine Rolle gespielt. Ich war vierzehn, als sie ins Kinderheim kam, und sie erst fünf, aber wenn man einsam ist und sich wie der letzte Dreck vorkommt, dann schließt man sich halt mit jemandem zusammen, und aus irgendwelchen Gründen hat Lyddy mich von Anfang an abgöttisch geliebt und mir damit das Gefühl gegeben, ich würde gebraucht und wäre etwas wert. Mrs Brophy, unsere Heimleiterin, hielt es für eine gute Idee, dass ich sie jeden Morgen auf meinem Schulweg beim Kindergarten vorbeibrachte, und ich fand schnell heraus, dass Lydia für ihr Alter ziemlich weit war. Natürlich machte ich mir damals nicht klar, dass das arme Mädchen bei ihrem familiären Hintergrund gar keine andere Chance hatte. Ich beschloss einfach, sie unter meine Fittiche zu nehmen und mich um sie zu kümmern. Es gab mir das Gefühl, wichtig zu sein, und das gefiel mir.

Bill dagegen hämmert mir immer wieder ein, dass man sein eigenes Leben nicht von anderen dominieren lassen darf, und als Lydia sich entschloss, von Kettleborough nach Hartfield zu ziehen, wurde mir schnell klar, dass es einfacher ist, wenn die beste Freundin nicht praktisch gegenüber wohnt und zu jeder Tages- und Nachtzeit auf der Matte stehen kann. Bill kann so was gar nicht leiden. Aber er ist ja schon immer ein Einzelgänger gewesen, nie Mitglied in einem Klub, nie der Typ, der Leute zu sich einlädt. Er verzieht sich lieber auf den Dachboden, um mit seiner Eisenbahn zu spielen, als sich auf einen Schwatz mit Freunden zu treffen. Ehrlich gesagt hat er auch nicht viele Freunde, jedenfalls heute nicht mehr. Früher schon. Als er noch bei Claytons arbeitete, ging er hinterher gern auf ein Bier ins Pub mit seinen Kollegen, ja, er spielte sogar im Dartsteam mit, wenn denen ein Mann fehlte. Aber als er seinen Arbeitsplatz verlor, verkroch er sich irgendwie in sich selbst, und jetzt – jetzt ist er schon lange nicht mehr er selbst, nicht der Bill von früher.

Trotzdem will ich mich nicht beklagen. Er ist ein guter Mann – und er ist immer da, jemand, an den ich mich nachts kuscheln kann. Das ist es, was auch Lydia meiner Meinung nach braucht. Die Arme, verliert ihren Mann, wo sie zwei Kinder großziehen muss und das eine nicht richtig im Kopf ist. Ja, ich weiß – heutzutage soll man das nicht so nennen, heutzutage heißt das ja Lernbehinderung. Aber bei dem kleinen Tom ist es mehr als das – ehrlich gesagt glaube ich, dass er eigentlich ein ganz schlauer Bursche ist. Ich weiß auch nicht, warum ich das glaube – es ist nur so ein Gefühl, die Art, wie er einen manchmal ansieht, als wüsste er alles und könnte bloß nicht die Worte dafür finden. Nicht dass er einen besonders häufig ansieht. Lydia sagt, das hätte irgendwas mit seiner Verfassung zu tun – er stellt keine Verbindung zu anderen her. Aber ich habe ihn trotzdem schrecklich lieb.

Wenn ich ganz ehrlich bin, ist Tom einer der Gründe, warum Bill nicht wollte, dass ich mich zu sehr auf Lydia einlasse. Bill kommt nicht gut mit Behinderungen klar. Es ist nicht so, dass Behinderte ihm nicht Leid täten – er ist der Erste, der den Geldbeutel zückt, wenn es irgendwo eine Sammlung für die Blinden oder Querschnittsgelähmten gibt. Aber er weiß einfach nicht, wie er mit Leuten umgehen soll, die anders sind als er. Ich glaube, deswegen lässt sich Gareth nicht mehr bei uns blicken, aber das ist eine andere Geschichte.

Warum ich so gern hierher komme und auf die Kinder aufpasse, liegt wahrscheinlich daran, dass sie die Lücke füllen, die Gareth hinterlassen hat. Ich wollte immer viele Kinder, aber es sollte nicht sein. Ja, wenn ich ein halbes Jahrhundert später geboren wäre, hätte ich mir eine Fruchtbarkeitsbehandlung gegönnt und wäre jetzt nicht so einsam. Aber der liebe Gott wird schon wissen, was er tut. Jedenfalls meistens.

Da kommt sie – meine Güte, wie müde sie aussieht! Ich hol schon mal den Brandy raus. Sie nimmt abends gern ein Schlückchen und ich könnte ehrlich gesagt jetzt auch eins brauchen.

Tom ist süß, aber manchmal auch unheimlich.

Nicht dass ich das irgendjemand anderem gegenüber zugeben würde. Es tut mir ja gut, gebraucht zu werden.

Katie

Donnerstag, 28. Juni
22:30 Uhr

*N*a toll. Dank Tom und seinem Anfall haben sich alle meine Pläne erledigt und bei Mum schrillt die Alarmglocke. Ich weiß, ich sollte nicht sauer auf Tom sein. Es ist ja nicht seine Schuld. Er kann nichts dafür, dass er manchmal diese Schreikrämpfe kriegt. Mrs Ostler, seine Lehrerin in der Lime Lodge, hat mal gesagt, die kommen von seiner Frustration darüber, dass er es nicht schafft, zu uns durchzudringen, uns klar zu machen, was er will. Sie hat gesagt, wir müssen geduldig sein. Aber sie muss ja auch nicht mit ihm leben. Und nicht zusehen, wie er mal eben alle ihre Pläne über den Haufen wirft.

Manchmal wünschte ich, er wäre gar nicht erst auf die Welt gekommen.

Nein, nein, das stimmt nicht. Ich kann beinahe sehen, wie Dad sich das Kinn reibt, eine typische Geste, wenn er sich aufregt, und sagt: »Aber Prinzessin, das ist doch wohl nicht dein Ernst!« Dad hat mir immer den Kopf zurechtrücken können, aber er ist nicht mehr da und Tom ist schwierig und Mum – na ja, eben Mum.

Und deshalb fühle ich mich manchmal total allein gelassen. Zum Beispiel jetzt.

Etwa ab neun Uhr abends ging alles schief. Mum kam gerade zum falschen Zeitpunkt nach Hause, gerade als Tom um sich schlug, strampelte und schrie, während ich versuchte, ihn zu beruhigen, und Grace die restliche Erde von der Topfpflanze aufkehrte, die Tom auf den Boden geworfen hatte, und dabei vor sich hin murmelte, wie sie das oft tut.

»Was zum Teufel ist hier los?«, schnauzte Mum schon in dem Moment los, als sie den Kopf ins Wohnzimmer steckte. »Wieso ist Tom noch nicht im Bett?«

Ich sah gleich, dass sie schlechte Laune hatte, weil ihr Mund zu einem dünnen Strich verkniffen war und sie hektisch am Kragen ihrer Jacke zerrte.

»Hi, Mum!«, begrüßte ich sie viel fröhlicher, als mir zumute war. »Alles okay, Tom hat nur…«

»Na klar!«, schoss sie zurück, während sie ihre Handtasche aufs Sofa schmiss. »Es sieht ja auch verdammt okay aus!«

Woraufhin Tom anfing, sich stöhnend vor und zurück zu wiegen und sich mit den Fingern auf den Arm zu klopfen.

»Tom!« Mum kniete sich vor ihn hin und versuchte, ihm in die Augen zu sehen. »Tom, hör auf! Hör sofort auf!«

Aber Tom starrte die Tapete an und knurrte.

Mum drehte sich zu Grace um.

»Hat Katie Tom geärgert?«, fragte sie, als würde ich meinen Bruder regelmäßig fertig machen.

»Nein, natürlich nicht, Lyddy«, erwiderte Grace in dem beruhigenden Ton, den sie immer anschlägt, wenn Mum auf mir rumhackt. »Er hat sich nur ein bisschen aufgeregt, das ist alles. Er vermisst wohl seinen Dad, meint Katie.«

»Ach, meint sie das?«, zischte meine Mutter und warf einen Seitenblick in meine Richtung. »Unsere Hauspsychologin! Und wie hat sie das bitte schön rausgekriegt?«

Ich konnte es der armen Grace ansehen, dass ihr diese Szene total peinlich war, aber sie ergriff tapfer meine Partei.

»Katie versteht viel besser als ich, was er sagt«, erklärte sie. »Sie geht wirklich gut mit ihm um. So lieb!«

Meine Mutter schniefte und marschierte zur Anrichte.

»Na, ein Glück, dass sie in irgendwas gut ist – wenn man bedenkt, wie sie die Schule schluren lässt!«

Sie griff nach der Brandyflasche, die Grace schon rausgestellt hatte.

»Noch nie im Leben musste ich mich so schämen wie heute Abend«, sagte sie, während sie sich einen großzügigen Schluck in ein Weinglas goss. »Alle Lehrer erzählen mir, dass du nicht mitarbeitest und ein hoffnungsloser Fall bist.«

»Das ist nicht fair!«, protestierte ich. Und es stimmt einfach nicht – ich tue nämlich sehr wohl was für die Schule. Nur bleibt in letzter Zeit bei mir im Kopf anscheinend nichts hängen. Es ist, als wäre er schon so voll mit Gedanken und Ängsten und Sorgen, dass es keinen Platz gibt für Grabenbrüche und den Vietnamkrieg und Integralrechnungen.

»Du bist diejenige, die nicht fair ist, junge Dame!«, schrie meine Mutter. »Nach allem, was ich durchgemacht habe, hätte ich gedacht, dass du mich zumindest entlastest, indem du dich in der Schule anstrengst. Einen Brandy, Grace?«

»Also ich…«

»Natürlich trinkst du einen mit«, antwortete meine Mum an ihrer Stelle, goss einen weiteren, etwas weniger großzügigen Schluck in das zweite Glas und wandte sich wieder an mich.

»Nach allem, was dein Vater für dich getan hat«, tobte sie weiter. »Tag und Nacht hat er geschuftet, um dir eine anständige Ausbildung zu ermöglichen, hat das Letzte aus sich herausgeholt. Der liebe, gute Mann…«

Sie neigte den Kopf und ihre Schultern begannen zu zucken.

Sofort lief Grace zu ihr hinüber. Ich blieb stehen, wo ich war. Das alles kannte ich schon zur Genüge.

»Aber, aber, meine Liebe«, redete Grace beruhigend auf sie ein und legte ihr den Arm um die Schulter. »Mach dir keine Sorgen.«

Mum schob das Kinn auf ihre »Ich-muss-jetzt-tapfer-sein«-Tour vor und betupfte sich die Augen. Von Tränen war nichts zu sehen, aber auf die treuherzige Grace muss es ziemlich überzeugend gewirkt haben.

»Und ich«, fuhr Mum fort, »worauf ich alles verzichtet habe, damit Katie das bekommen konnte, was sie brauchte.«

Woraufhin sie noch einen Schluchzer von sich gab.

»Setz Teewasser auf, Katie!«, befahl Grace in strengem Ton, als würde sie plötzlich erkennen, dass ich in Wirklichkeit ein Monster war. »Deine Mum ist ganz durcheinander.«

Das ist ihr Normalzustand, hätte ich am liebsten zurückgebrüllt, aber ich hielt natürlich die Klappe, ging stattdessen in die Küche, ließ den Wasserkocher voll laufen und stöpselte ihn ein. Ich wusste, dass das reine Zeitverschwendung war. Sobald Mum Alkohol auf ihren Lippen schmeckte, war eine Tasse Earl Grey bestimmt das Letzte, was sie wollte.

»Soll ich Tom ins Bett bringen?«, fragte ich, als ich wieder ins Wohnzimmer kam. »Dann könntet ihr beide in Ruhe austrinken.«

Wenn ich so süßlich-brav tue, finde ich mich meistens selber zum Kotzen, aber diesmal hatte ich meine Gründe.

»Lieb von dir«, sagte Grace. »Katie ist wirklich ein liebes Mädel.«

Meine Mutter schniefte, als wollte sie zu verstehen geben, dass jeder, der an meine Anständigkeit glaubte, eigentlich zum Psychiater müsste, aber dann zuckte sie die Achseln und nickte.

»Tu das«, sagte sie. »Und anschließend möchte ich mit dir reden.«

Das machte mir keine allzu großen Sorgen. Bis ich mit Tom fertig war, hatten sie und Grace bestimmt schon den dritten Brandy intus, und dann war Mum in ihrer sentimentalen, mütterlichen Stimmung. In dem Zustand kommt man am ehesten mit ihr klar. Wenn man allerdings bis zum fünften Glas wartet, hat man schlechte Karten.

Komischerweise war es genau der verdammte Alkohol, der Joe und mich wieder zusammenführte. Das fiel mir ein, als ich Tom ins Bett brachte. Bei ihm muss alles streng nach Routine gehen, sonst verheddert er sich. Klamotten ausziehen, dann seine Autos ums Bett aufreihen. Zähne putzen, erst die oberen, dann ein Schluck zu trinken, dann die unteren. Es ist stinklangweilig, dazustehen und auf ihn aufzupassen, aber es gibt einem jede Menge Zeit zum Nachdenken.

Die ganze erste Woche, nachdem Joe mich vor der Schule abgesetzt hatte, kriegte ich ihn nicht aus dem Kopf. Das kam mir echt komisch vor, weil ich mich noch nie besonders mit Jungs beschäftigt hatte. Nicht wie Alice, deren Leben sich immer total um den Typen dreht, in den sie gerade verliebt ist. Natürlich hatte ich auch schon ein paar Verabredungen, aber dabei kam nie mehr raus als ein verdruckster Kuss und das übliche, eher langweilige Gefummel.

Aber mit Joe war es anders. Er hatte mich nicht mal angefasst, und doch rollte ich mich jede Nacht im Bett zu einem Knäuel zusammen und stellte mir vor, wie es wäre, wenn er neben mir läge, seine Finger über meinen Nacken streichen ließe oder seine Lippen auf meine drückte. Das war der schöne Teil; der schlechte war, dass ich mir von Tag zu Tag immer weniger vorstellen konnte, wie er aussah. Abgesehen von seinen Augen natürlich. Die würde ich nicht so schnell vergessen. Aber ich konnte seine Stimme nicht mehr im Kopf hören oder mich erinnern, wie er lachte. Und trotzdem ging er mir nicht aus dem Sinn.

Ich fing an, morgens ein paar Minuten früher aus dem Haus zu gehen, damit ich die Frampton Road entlangmarschieren und den Bus zwei Haltestellen vor meiner üblichen erwischen konnte. Ich dachte mir, dass er dieselbe Strecke nehmen würde, wenn er seine Projekte checken wollte, und mit ein bisschen Glück würde ich irgendwann scheinbar zufällig auf ihn stoßen. Alice wollte natürlich wissen, wieso ich plötzlich an der Haltestelle Spectacle Lane in den Bus stieg statt vor dem Postamt, aber ich erzählte ihr einfach, ich fände meine Oberschenkel ein bisschen schwabblig und brauchte mehr Bewegung.

Die Tage vergingen, ohne dass ich Joe wieder sah. Doch dann, am darauf folgenden Samstag, hatte Mum einen echt heftigen Absturz. Ich sah das Drama schon kommen und tat alles, um das Schlimmste zu verhindern. Ich ging mit Tom in den Park, was mir eigentlich stinkt, denn wenn Tom einen von seinen Schreikrämpfen kriegt, gucken mich die Leute an, als wäre ich dabei, ihn umzubringen oder so was in der Art. Ich weiß, dass es fies von mir ist, aber manchmal wünschte ich, Tom würde nicht wie ein niedlicher Zehnjähriger aussehen. Doch er hat nun mal riesige blaue Augen und lange Wimpern und einen blonden Wuschelkopf, und deshalb hält ihn jeder, der nicht Bescheid weiß, für total normal. Er kann ewig lang friedlich auf einer Parkbank sitzen und zeichnen. Und er zeichnet auch nicht einfach irgendwas. Er sieht ein winzig kleines Insekt auf dem Weg und zeichnet es haargenau ab, fügt sogar dann noch Details hinzu, wenn die Ameise oder der Tausendfüßler oder was auch immer schon längst weggekrabbelt ist. Und die Zeichnungen sind echt gut, was ein zusätzliches Problem ist. Manchmal bleiben nämlich Leute stehen und werfen einen Blick drauf und fangen an, mit Tom zu reden, weil der ja wie jeder andere Junge in seinem Alter aussieht.

»Mein Gott!«, sagen sie. »Das ist aber ein schönes Bild.«

Und dann deuten sie darauf und berühren dabei vielleicht sogar das Papier und spätestens in dem Moment dreht Tom durch. Er springt auf, schnappt sich seine Zeichnung, schreit, wackelt mit dem Kopf und veranstaltet ein Riesentheater. Und ich muss natürlich erklären, dass er autistisch ist und alle möglichen Probleme hat, und die Leute nicken und verziehen sich und dann darf ich ihn beruhigen und nach Hause bringen.

Ich weiß auch nicht, warum er sich so aufführt. Ich meine, die Leute sagen ihm ja nicht, seine Bilder wären bescheuert. Die meisten Kinder mögen es, wenn sie gelobt und betüttelt werden, ganz egal von wem. Aber Tom hat sich immer nur mit mir oder Mum oder Grace wohl gefühlt. Und natürlich mit Dad. Aber Dad ist nicht mehr da.

An dem Samstag, als Mum ihren Absturz hatte, wäre Dad echt der rettende Engel gewesen. Als ich Tom aus dem Park zurückbrachte, stöberte sie in der Flaschenablage vom Küchenschrank rum, fluchte und keifte, weil in der Brandyflasche höchstens noch drei Zentimeter Flüssigkeit war. Ihre Hände zitterten und sie weinte mit lautem, ruckartigem Gehickse.

Ich wünschte mir sehnlich, Dad würde an der Tür erscheinen und die Verantwortung übernehmen. Er konnte es nicht ausstehen, wenn Mum trank, und manchmal – nicht immer – schaffte er es, sie ein bisschen abzulenken, indem er ihr Weißwein mit Sprudel in einem hohen Glas gab und danach mit ihr einkaufen ging oder ihr sagte, er bräuchte ihre Hilfe bei irgendwas. Ich hab das auch probiert, aber bei mir funktioniert es nie.

Letzten Endes war es dann aber doch ein Glück, dass sie mehr Brandy brauchte, weil ich sonst nie im Co-op gelandet wäre, wo sie mich hingeschickt hatte. Und wenn das Mädchen an der Kasse nicht so einen Aufstand gemacht hätte, dann hätte Joe mich nie entdeckt.

Es war schon abartig. Er war nicht im Laden, als ich auf der Suche nach der richtigen Marke durch die Gänge flitzte. Das weiß ich genau: Einen Typen wie ihn übersieht man nicht. Jedenfalls fand ich den Brandy und knallte der Kassiererin einen Zehnpfundschein hin.

»Alter?«, gähnte sie.

»Was?«

»Hast du deinen Ausweis dabei?«, fragte sie. »Ich kann dir die Flasche nicht verkaufen, wenn du minderjährig bist.«

Ich tappte ungeduldig mit dem Fuß auf den Boden.

»Die ist nicht für mich, sondern für meine Mutter. Sie ist krank«, erklärte ich, was der Wahrheit schon ziemlich nahe kam.

Sie zuckte die Achseln.

»Trotzdem kann ich dir keinen Alkohol verkaufen. Du musst dir schon jemanden suchen, der das übernimmt. Tut mir Leid.«

Ich wusste nur zu genau, wie Mum reagieren würde, wenn ich ohne ihren kostbaren Sprit nach Hause kommen würde. Wenn sie ihren Flattermann kriegt, dann sitzt sie einfach da und weint, bis sie genug Brandy intus hat, um ruhiger zu werden. Wenn sie jedoch keinen Brandy bekommt, wird sie stinkwütend.

Und zwar fast immer auf mich.

»Ja, wen denn?«, schrie ich. »Mein Vater ist tot, mein Bruder ist... er ist zu klein und deshalb muss ich einkaufen. Kapiert?«

Das Mädchen zuckte wieder die Achseln.

»Tut mir Leid«, sagte sie. »Aber Gesetz ist Gesetz.«

Ich war den Tränen nah. Ich griff nach dem Geldschein und in dem Moment fühlte ich eine Hand auf meiner Schulter.

»Ist schon okay«, sagte eine tiefe Stimme. »Ich werde den Brandy für Mrs Fordyce kaufen.«

Ich wirbelte herum und da stand er. Joe. Er trug ein Hemd mit offenem Kragen, aus dem ein winziges bisschen flaumiges Haar ragte. Er sah umwerfend aus.

Er lächelte mich an und zwinkerte. Ich war sprachlos. Ich spürte, wie ich knallrot anlief, und mir schoss durch den Kopf, dass ich mich leider nicht geschminkt hatte, bevor ich das Haus verließ.

Die Kassiererin machte ein skeptisches Gesicht.

»Mrs Fordyce ist eine gute Freundin von mir«, sagte Joe. »Ich werde dafür sorgen, dass die Flasche direkt in ihre Hände kommt und in keine anderen.«

Er strahlte ihr voll ins Gesicht und sie lief rosa an, strich sich eine Haarsträhne aus den Augen und zog eine Schnute.

»Okay«, hauchte sie und warf ihm einen wimpernverhangenen Blick zu.

Er zog einen Zwanzigpfundschein aus seiner Hosentasche.

»Ich hab genug Geld«, sagte ich, aber er schob meine Hand weg.

Das Mädchen tippte den Betrag ein und gab ihm sein Wechselgeld. Er nahm die Flasche in die eine Hand, legte mir die andere sanft auf die Schulter und schob mich aus dem Laden.

»Das war supernett von dir«, begann ich. »Aber ich muss dir das Geld zurückgeben.«

Er schüttelte den Kopf. »Das möchte ich übernehmen. Ich kenne diese Probleme.«

Ich weiß noch, dass mein Magen bei seinen Worten einen Satz machte.

»Was meinst du damit?«, fragte ich.

Er seufzte.

»Du bist ein ziemlich tapferes Mädchen«, sagte er in ernstem Ton. »Aber ich bekomm schon mit, wenn jemand in Not ist – ich hab das Gefühl, dass du's ziemlich dicke abkriegst.«

Er sah mich so lieb an und klang so verständnisvoll, dass mir die Tränen in die Augen schossen. Deshalb drehte ich schnell den Kopf weg.

»Sie war gemein – meine Mutter meine ich«, sagte er leise. »Bei deiner ist es der Alk« – er schwenkte die Brandyflasche –, »bei meiner war es ... ach, ist ja auch egal.«

Ich schluckte. Ich wusste nicht recht, was ich sagen sollte, doch das war schon okay, weil er plötzlich ein breites Grinsen auflegte.

»Aber das ist jetzt alles Vergangenheit«, sagte er fröhlich. »Also komm, wir sollten den Brandy lieber schnell zu deiner Mutter bringen, weil...«

»Schon gut!«, erwiderte ich hastig. »Ich nehm ihn.«

Ich streckte die Hand aus, aber Joe schüttelte den Kopf.

»Ich hab versprochen, ihn persönlich abzuliefern.« Er zog eine echt scharfe Sonnenbrille aus seiner Hemdtasche. »Du willst doch das Mädchen vom Co-op nicht in Schwierigkeiten bringen, oder? Sie kann nicht viel älter als du sein.«

Ich biss mir auf die Lippen. Ehrlich gesagt wollte ich nicht, dass Joe meine Mutter kennen lernte, während sie so mies drauf war. Man weiß nie, was sie in dieser Verfassung von sich gibt.

»Vertrau mir«, sagte er, schob sich die Sonnenbrille auf die Nase und lächelte mich an. »Ich komm nur bis zur Haustür mit, geb ihr die Flasche und verzieh mich. Okay?«

»Okay«, sagte ich, hauptsächlich, weil das bedeutete, dass ich noch ein Stück mit ihm zusammen gehen konnte.

Als wir zu unserem Haus kamen, angelte ich nach meinem Schlüssel und schloss die Tür auf. Als sie aufschwang, rutschte mir das Herz in die Hose. Da stand Mum, an den Rahmen der Küchentür gelehnt, während Tom neben ihr auf dem Fußboden saß und malte.

»Wird ja auch Zeit, verdammte Sch– oh!«

Bei Joes Anblick verstummte sie. Sie keuchte nur laut und machte große Augen.

»Wer sind Sie?«, fragte sie schroff.

»Mrs Fordyce«, rief Joe, während er in den Flur trat. »Schön, Sie kennen zu lernen! Und das ist, glaube ich, für Sie!«

Er überreichte ihr die Flasche Brandy. Tom hörte auf zu malen und begann mit seinem Geschaukel, die Augen auf Joe geheftet.

Ich hielt die Luft an.

»Ja, also, ich...«

Mum war offensichtlich um Worte verlegen, und Tom schaukelte immer wilder, aber Joe redete einfach weiter.

»Weil Ihre Tochter zu jung ist, um Alkohol kaufen zu dürfen«, erklärte er, »bin ich eingesprungen. Na dann!«

Meine Mutter hustete und festigte den Griff um die Flasche.

»Vielen Dank«, sagte sie. »Das ist nett. Wirklich nett.«

Sie fixierte Joes Gesicht und runzelte die Stirn. Ich war nur dankbar dafür, dass sie höflich blieb.

»Wohl bekomm's!«, sagte Joe und sah zu Tom hinunter. »Und was ist das, junger Mann?«

Er nahm das Blatt Papier, das Tom auf den Fußboden gelegt hatte, und schaute es sich an.

»Das ist ja toll!«, hauchte er. »Irre.«

Ich wartete darauf, dass Tom losschrie und ihm sein Bild wegriss. Aber das tat er nicht. Er starrte bloß Joe an, rutschte auf dem Hintern rückwärts durch die offene Küchentür und immer weiter weg, bis er gegen den Tisch knallte.

Und dann schrie er los. Und wie!

»Er will sein Bild wiederhaben«, erklärte ich hastig und riss es Joe aus den Händen. »Er ist ein bisschen – also ein bisschen gestört und ich glaube, er fürchtet sich vor deiner Sonnenbrille…«

»Ja natürlich«, sagte Joe ganz lässig und wandte sich wieder an Mum. »Gestört. Aber, Mrs Fordyce, Sie müssen unheimlich stolz auf sein künstlerisches Talent sein. Hat er das von Ihnen?«

Und da streckte meine Mum doch tatsächlich die Brust raus, fuhr sich durch die Haare und tat so affektiert wie ein Starlet in einem drittklassigen Film

»Nun, ich muss schon sagen, dass ich ein Auge für Farben habe«, murmelte sie. »Wenn mein Leben anders verlaufen wäre, dann hätte ich, wie man so schön sagt, sicher das Beste aus meinen kreativen Fähigkeiten gemacht.«

Diesen Spruch hörte ich zum ersten Mal, aber ich verkniff mir jeden Kommentar.

Joe schwieg einen Moment. Er stand nur da und guckte abwechselnd Mum und Toms Zeichnung an.

»Na, es heißt ja, dass Talent vererbbar ist«, bemerkte er schließlich. »Leider muss ich jetzt los – ein paar Sachen erledigen und Leute treffen!«

Er drehte sich um und ich folgte ihm zur Haustür. Ich sah, dass Mum, nachdem sie ihre kleine Show abgezogen hatte, schon dabei war, die Kappe von der Brandyflasche abzureißen.

»Tschüs, Joe«, flüsterte ich. »Und tausend Dank.«

Er beugte sich zu mir.

»Leg das Geld, das sie dir gegeben hat, auf die Seite«, zischelte er mir ins Ohr. »Kein Grund, es ihr zurückzugeben. Spar dir einen kleinen Notgroschen zusammen – du weißt nie, wann du ihn mal brauchst.«

Mit diesen Worten machte er das vordere Gartentor auf und begann, mit großen Schritten den Hügel hochzumarschieren.

»Joe!«

Ich weiß selbst nicht, warum ich hinter ihm herrief. Als er sich umdrehte, hatte ich nicht die leiseste Ahnung, was ich sagen sollte.

»Ja?«

»Noch mal vielen Dank.« Ich kam mir echt dämlich vor.

»Gern geschehen!«, meinte er lächelnd und steckte die Sonnenbrille in die Tasche zurück. »Bis bald!«

Und schon war er weg. Ich glaubte nicht, dass wir uns so bald wieder sehen würden. Ich dachte, das wäre einfach so ein höflicher Spruch, den Leute sagen, wenn sie's kaum erwarten können, sich zu verziehen.

Aber wir sahen uns wieder, und das unheimlich oft. Ich wusste nie, wann er kommen würde, doch das lag daran, dass er nie wusste, wann er sich losmachen konnte. Er hatte viele kleine Jobs, erzählte er mir, während er rauszufinden versuchte, was er wirklich mit seinem Leben anfangen wollte. Mir war es egal. Ich war bloß froh, dass ich ihm nicht über wurde.

Ich erzählte praktisch niemandem von ihm. Mum quetschte mich natürlich aus, sobald er das Haus verlassen hatte – wo ich ihn kennen gelernt hätte, wer er sei und so weiter. Ich log. Ich sagte, er wäre der Bruder von Antonia, einer meiner Klassenkameradinnen. Mum findet Toni in Ordnung, aber das hielt sie nicht davon ab, loszulegen, ich wäre zu jung, um mit Typen rumzuhängen. Ich nickte bloß und sagte, er würde mich sowieso nicht interessieren, und zu dem Zeitpunkt hatte sie schon ein paar Brandys intus und ließ mich in Frieden.

Aber als ich heute Abend dastand und zuschaute, wie Tom sein Ritual vollführte, wie er erst alle Autos am Fußende seines Bettes aufstellte und sie dann eins nach dem anderen umkippte, dachte ich daran, welches Geheimnis ich um Joe gemacht hatte. Nach diesem Tag hatte Mum ihn nie wieder erwähnt, vielleicht weil sie, nachdem sie die halbe Flasche geleert hatte, schon vergessen hatte, dass er überhaupt existierte. Ich muss zugeben, dass ich Tom anfangs viel von ihm erzählte, von unseren geheimen Treffen und wie sehr ich ihn liebte – aber Tom wird sich daran natürlich nicht erinnern, und falls doch, ist es auch egal.

Als es mit Joe und mir richtig losging, habe ich auch Alice davon erzählt, aber dann fing sie an, mich mit Fragen zu löchern, und wollte ihn unbedingt kennen lernen, und plötzlich wurde mir klar, dass Joe das Einzige in meinem Leben war, das ganz allein mir gehörte. Ich mochte ihn mit niemandem teilen – nicht mal ein Fitzelchen von ihm.

Also hörte ich auf, von ihm zu reden.

Wann immer Alice nachhakte, zuckte ich einfach die Achseln und stellte mich taub, damit sie glaubte, er hätte Schluss gemacht.

Jetzt spricht sie das Thema überhaupt nicht mehr an und so ist es mir auch am liebsten.

Allerdings wäre es schön, wenn wenigstens ein Mensch wüsste, was los ist, weil ich jetzt, wo alle meine Pläne ins Wasser gefallen sind, einen Verbündeten brauchen könnte, aber keinen habe. Nur Joe. Und bis morgen früh kann ich Joe nicht erreichen. Ich kann es nicht riskieren, dass Mum mich am Telefon erwischt. Ich habe nicht mal mehr ein Handy. Mum hat mir eins besorgt, aber das hab ich verloren, und jetzt sagt sie, ich wäre dafür wohl noch zu unreif, wie ich bewiesen hätte.

Als ich wieder runterging, war ich mir noch total sicher, dass ich Mum um den kleinen Finger wickeln könnte. Ich hörte sie und Grace auf diese leicht nuschelige Art labern, wie Leute reden, wenn sie schon beim dritten Glas sind. Ich hörte Mum sogar ein paarmal lachen und Grace sagen, dass sie ein toller Mensch sei. Mum lebt auf, wenn man ihr Komplimente macht, also dachte ich mir, jetzt wäre der richtige Moment.

Ich schob die Tür zum Wohnzimmer auf, legte mein nettestes Lächeln auf und knallte mich in den Sitzsack gegenüber von Mum.

»Mum«, flötete ich, »Mandy Russel macht morgen eine Pyjamaparty und hat mich eingeladen. Ihr Vater bringt mich am Sonntagmittag zurück. Das geht doch klar, ja?«

»Nein!«, sagte sie, grinste albern und nahm noch einen Schluck Brandy. »Du gehst nirgendwohin. Nirgendwo. Auf gar kein' Fall.«

Ich merkte, dass sie genau auf der Kippe zwischen Nettigkeit und Gehässigkeit stand.

»Kleine Mädchen, die ihre Hausaufgaben schlampig machen, gehen nicht zu Partys«, sagte sie mit einer Singsangstimme und goss sich wieder nach. »Ist doch so, oder Grace?«

Die arme Grace sah erst mich an und dann Mum und schließlich auf die Uhr.

»Ach du liebe Güte!«, rief sie mit gespielter Überraschung. »Schon so spät? Na, dann muss ich aber los – die Katze füttern und mit dem Hund Gassi gehen.«

Damit sprang sie auf und begann, ihr Strickzeug in die Handtasche zu stopfen.

»Mum, bitte!«, sagte ich hastig und beschwor Grace im Geist, sich die nächsten paar Minuten nicht vom Fleck zu rühren. »Weißt du, Mandy hat eine neue Software für ihren Computer – Übungen für die mittlere Reife –, und das wollen wir alle mal ausprobieren und sehen, ob wir so unser Projekt in Geschichte hinkriegen.«

Ich hatte im Leben noch keinen solchen Blödsinn gequatscht, aber zumindest erzielte ich damit Wirkung bei Grace.

»Na, Lyddy!«, meinte sie, »da kannst du mal sehen. Ich hab dir doch gesagt, dass Katie keine ist, die die Schule abbricht. Du wirst dich ins Zeug legen, deiner Mum zuliebe, stimmt's, Katie?«

Nein!, hätte ich am liebsten gebrüllt. Ich werde nichts ihr zuliebe tun. Wenn ich was für die Schule tue, dann nur um meinetwillen. Damit ich hier rauskomme.

Stattdessen lächelte ich brav und nickte.

»Tut mir Leid wegen der Noten, Mum«, sagte ich. »Aber ich vermisse Dad so schrecklich und konnte mich überhaupt nicht mehr konzentrieren und ...«

»Ach, du vermisst also deinen Dad, ja?«, legte meine Mutter los, während ihr schon die ersten Tränen kamen. »Und was ist mit mir? Da plage ich mich Tag und Nacht ab, um zwei Kinder großzuziehen, ohne Freunde, allein, mit kaum genug Geld, um über die Runden zu kommen, ganz zu schweigen von der Trauer um meinen ...«

»Aber, aber, meine Liebe«, murmelte Grace, tätschelte Mums Schulter und warf einen nervösen Blick auf die Uhr. »Ich würde ja gern noch bleiben, Lyddy, aber ich muss wirklich ...«

»Geh nur!« Mum wedelte mit einer Hand durch die Luft. »Ich komm schon klar. Mach dir keine Sorgen um mich. Ich bin eine Überlebenskünstlerin. Dr. Maddocks sagt, er hätte noch nie eine so tapfere Witwe gesehen, und der Mann vom *Echo* – der auf der Beerdigung, der mich für den Zeitungsartikel befragt hat…«

Sie drehte komplett ab. Ich nickte kurz zu Grace hinüber, der ein Ausdruck der Erleichterung übers Gesicht huschte – und dann hatte sie es so eilig, aus dem Zimmer zu verschwinden, dass sie nicht mal mehr einen Blick zurückwarf.

In dem Moment, als Mum die Haustür zuklicken hörte, brach sie ihr Geheule ab, stand auf und kam auf mich zu.

»Weißt du eigentlich, wie demütigend das heute Abend in der Schule für mich war?«, fragte sie, und ihre Augen wurden schmal, als sie mich ansah. »Deine Lehrer haben mir zu verstehen gegeben, dass du meinetwegen nachhinkst – weil ich versagt habe.«

Mittlerweile stand sie direkt vor mir, die Augen nur wenige Zentimeter von meinen entfernt.

»Was«, fragte sie mit leiser Stimme, »hast du ihnen erzählt?«

Mir wurde übel.

»Nichts, Mum«, flüsterte ich. »Ganz ehrlich. Nichts.«

Das war die Wahrheit. Ich habe niemals irgendwem erzählt, wie Mum wirklich ist. Ich habe niemals zugegeben, dass das Leben zu Hause manchmal die Hölle ist und dass ich wünschte, ich hätte den Mut, abzuhauen und nie, nie mehr zurückzukommen.

Über so was redet man eben nicht mit anderen Leuten. Ich habe Mum ja lieb. Ich kann sie zwar nicht leiden und finde es beschissen, was sie macht. Aber trotzdem habe ich sie lieb. Schließlich ist sie meine Mutter.

Und wenn sie mal nett ist, dann ist sie auch richtig nett.

Aber wenn nicht – dann ist sie entsetzlich.

»Bin ich dir eine gute Mutter – ja oder nein?«, wollte sie wissen.

»Ja«, flüsterte ich.

»Kriegst du bei mir genug zu essen?«

»Ja, Mum.«

»Darfst du dir auch mal was Hübsches zum Anziehen kaufen?«

Ich nickte.

»Wer hat dir diese verrückten silbernen Turnschuhe gekauft, mit denen du mir in den Ohren gelegen hast?« Sie packte mich an den Schultern. »Wer?«

»Du, Mum«, flüsterte ich. Ich konnte nicht anders, als Schuldgefühle zu kriegen. Die Dinger hatten ein Schweinegeld gekostet, und ich hätte nie gedacht, dass sie sie mir kaufen würde.

»Also«, zischte sie, und ich wusste, dass es jetzt hart auf hart ging, »ist es zu viel verlangt, wenn ich dich bitte, dich in der Schule anzustrengen, mir Ehre zu machen? Mein Gott, der arme Tom wird es mit Sicherheit nicht weit bringen und dein Dad ist tot. Ich muss mich auf dich verlassen.«

Ich weiß, dass es kindisch ist, zu heulen, wenn man fünfzehn ist, aber ich konnte mich nicht beherrschen. Es waren die Worte »und dein Dad ist tot«, die mich schafften. Wie konnte sie nach dem, was sie am letzten Wochenende gesagt und getan hatte, einfach dastehen und über seinen Tod labern und dass sie sich auf mich verlassen musste? All die verwirrenden Gefühle, die mich erst vor vier Tagen überfallen hatten, kamen wieder hoch und ich konnte nicht aufhören zu weinen.

»Bitte, Mum, lass mich zu Mandy gehen!«, schluchzte ich.

Natürlich wollte ich gar nicht zu Mandy. Mandy sollte mir nur ohne ihr Wissen ein höchst praktisches Alibi verschaffen. Ich musste Mum dazu bringen, dass sie glaubte, dort würde ich am Freitag übernachten, weil das alles zu Joes Plan gehört.

Joes Plan für meine Flucht.

»Nein, du gehst nirgendwohin, verdammt noch mal!«, kreischte meine Mutter, und dann schoss ihr Gesicht auf meines zu, und die Brandyfahne trieb mir zusätzliche Tränen in die Augen. »Du bleibst hier und kümmerst dich verflucht noch mal ausnahmsweise um mich! Und büffelst! Büffelst! Kapiert?«

Sie ließ sich in den Sessel plumpsen, und ich wusste, es würde nicht lange dauern, bis sie einschlief. Was sollte ich jetzt noch sagen – bei ihrer Verfassung?

Sobald ihr die Augenlider zugefallen waren, warf ich ihr eine kleine Baumwolldecke über die Knie und ging hoch in mein Zimmer. Als ich an Toms Tür vorbeikam, hörte ich ihn monoton vor sich hin summen. Normalerweise wäre ich ja zu ihm reingegangen und hätte ihm Gute Nacht gesagt, aber das schenkte ich mir. Er erträgt es nicht, wenn ich total aufgelöst bin, und ehrlich gesagt konnte ich nicht die Energie aufbringen, ein fröhliches Gesicht zu machen.

Das war vor einer Stunde. Jetzt ist er still. Alles ist still. Mum wird wohl im Sessel eingeschlafen sein und morgen schlecht gelaunt aufwachen, weil ihr der Rücken wehtut und ihre Klamotten verknautscht sind und sie höllische Kopfschmerzen hat.

Der Vollstress.

Das mag ziemlich abgebrüht klingen, aber eigentlich bin ich gar nicht so. Ich habe Angst. Ich kann nicht nach unserem ursprünglichen Plan vorgehen, weil sie, wenn sie mich mit der großen blauen Reisetasche in der Hand losmarschieren sieht, bestimmt denkt, dass ich doch vorhabe, bei Mandy zu übernachten, und mich aufhalten wird. Aber ich kann die Reisetasche auch nicht dalassen, denn Joe meint, dass wir mindestens eine Woche wegbleiben, und deshalb brauche ich die Klamotten und das Geld und alles andere.

Ich muss hier weg, und ich muss einen Weg finden, wie ich das Zeug mitnehmen kann.

Wahrscheinlich sollte ich am besten gleich abhauen. Solange sie schläft. Der Alkohol wirkt bestimmt noch eine Weile – mindestens für die nächsten paar Stunden dürfte sie total außer Gefecht sein.

Morgen um halb neun werde ich im Bus nach Milton Keynes sitzen und da treffe ich mich mit Joe und wir fahren weiter zur Foxhole Farm. Foxhole – Fuchsbau, das klingt schon irre romantisch.

Eine ganze Woche lang werde ich mich nicht fürchten müssen.

Wenn ich jetzt sofort gehe, muss ich mir zwar überlegen, wo ich übernachten kann, aber zumindest bin ich weg.

Nein! Nein! Das ist eine bescheuerte Idee.

Wenn ich nicht zum Frühstück hier bin, wird Mum sich gleich denken, dass ich die Biege gemacht habe, und Alarm schlagen. Joe sagt, wir müssen dafür sorgen, dass wir richtig viel Zeit haben, bevor sie irgendeinen Verdacht schöpft. Benimm dich so normal wie möglich, hat er gesagt.

Moment mal – das ist es. Ich hab's!

Warum ist mir das nicht schon früher eingefallen?

Es ist genial. Es kann gar nicht schief gehen. Und wenn Mum nur noch ein kleines bisschen länger schläft, ist alles geritzt.

Die Sache läuft!

Tom

Donnerstag, 28. Juni
23:10 Uhr

*E*s ist schwarz. Alles ist schwarz, außer dem kleinen, runden Licht in der Zimmerecke. Nachtlicht nennt man das. Das weiß ich von Katie. Nachtlicht, Nachtlicht. Klingt gut. Zwei Silben, zweimal ein ›–cht‹, ein Muster. Ich mag Muster.

Ich mag das Muster auf meinen Vorhängen, die Schatten, die sich sanft im Licht der Straßenlaterne hin und her bewegen. Manchmal schnell und manchmal überhaupt nicht. Katie sagt, der Wind macht, dass die Schatten sich bewegen, und es gibt keinen Grund, sich zu fürchten. Einmal, als alle dachten, ich würde mich fürchten, sagte Katie, ich könnte ihr Zimmer haben, weil das auf der Hinterseite vom Haus ist und es dort keine flackernden Lichter gibt. Sie haben sogar schon angefangen, meine Sachen umzuräumen, aber ich wollte nicht. Ich mag Muster. Ein Zimmer ohne Muster würde mir nicht gefallen.

Wenn ich die Hände fest gegen die Augen drücke, sehe ich Punkte und Sprenkel und wirbelnde Formen in Rot, Orange, Gold – Muster, die aus mir selbst herauskommen. Das sind die besten Muster, aber sie kommen nur, wenn ich ganz allein bin und niemand anfängt, mit mir zu reden und mir Sachen wegzunehmen und Geräusche zu machen, die ich nicht verstehen kann.

Wenn ich meine Ohren mit den Fingerspitzen reibe, dann entsteht ein hübsches Geräusch, wie das Geräusch der Muschel, das ich zum ersten Mal gehört habe, als wir mit Dad am Strand waren und er mir die Muschel ans Ohr hielt. Ein Einschlafgeräusch, sanft und leise und tröstend, als würde man sich den Daumen in den Mund stecken oder...

Was ist das? Ein Geräusch. Kein normales Im-Bett-aufs-Einschlafen-warten-Geräusch, sondern ein Vor-dem-Haus-Geräusch. Kein Auto, nicht die Katze von nebenan, die auf dem Gartenzaun miaut und faucht, nicht die Kirchenglocke, die bimmelt und dröhnt. Es ist ein Schleichgeräusch, ein Klickgeräusch, ein Raschelgeräusch.

Ich darf nicht aus dem Bett steigen. Große Jungen steigen nicht mitten in der Nacht aus dem Bett, es sei denn, sie müssen aufs Klo. Aber ich will das Geräusch sehen. Und wenn ich aus dem Bett steige, muss ich vielleicht auch aufs Klo. Das wäre dann also okay.

Es ist kalt. Kalte Füße, zittrige Beine. Die Vorhänge nur ein bisschen zurückziehen.

Jemand ist da draußen. Jemand bewegt sich.

Es ist Katie.

Katie ist da draußen im Dunkeln. Das ist nicht okay. Katie gehört nicht da draußen ins Dunkle mit ihrem roten Schlafanzug. Katie gehört nachts ins Haus. Das ist das Muster. So gehört es sich.

KATIE!

Ans Fenster knallen, damit sie es hört.

Sie hat ihre silbernen Turnschuhe an. Man zieht keine Turnschuhe zum Schlafanzug an, sondern Pantoffeln. Und sie schleppt einen von diesen großen Säcken, wie Mum sie in den Mülleimer tut, schwarz und glänzend. Der Müll muss nicht in der Nacht raus. Der Müll muss am Morgen raus, wenn die Milch kommt. So gehört es sich.

Ich muss Katie sagen, dass sie alles verkehrt rum macht. Muss lauter knallen, lauter rufen.

Sie guckt hoch. Sie sieht aus, als hätte sie Angst.

Mit den Armen wedeln, weiter knallen.

Sie macht das vordere Gartentor auf, wirft den Sack auf den Gehsteig, kickt ihn außer Sicht. Jetzt schaut sie zu mir hoch und legt sich einen Finger an die Lippen.

Ich verstehe nicht, verstehe nicht, nein!

KATIE!

Eine Tür knallt. Schritte auf der Treppe. Nicht Mum. Mums Schritte sind tapsig und schwer. Diese sind schnell und tripplig. Es ist Katie. Katie kommt. So gehört es sich. Sie sollte oben im Haus sein, weil Schlafenszeit ist.

»Tom!«

Jetzt steht sie in meiner Tür, das Licht vom Treppenabsatz lässt ihr Haar glänzen. Ihre Wangen sind rosa statt blass, knallrosa sogar, und sie keucht, als wäre sie außer Atem.

»Tom!« Sie kommt rüber zu mir, nimmt mich an der Hand und bringt mich wieder ins Bett. »Was machst du denn da?«

Ich versuche, ihr zu sagen, dass der Müll nicht nachts rausmuss. Dass das nicht das richtige Muster ist. Dass man sich an das Muster halten muss. Aber entweder versteht sie mich nicht oder sie hört mir nicht zu.

»Ich hab doch bloß ein bisschen aufgeräumt«, sagt sie. »Zeugs rausgeschmissen, das ich nicht mehr brauche.«

Ich schüttle den Kopf. Ich verstehe nicht richtig, was sie sagt, aber sie soll mich verstehen. Sie macht alles ganz verkehrt rum.

Sie guckt mich an und zerzaust mir das Haar.

»Hey, ganz ruhig!«, flüstert sie. »Es ist alles okay – alles in Ordnung.«

Aber das stimmt nicht.

Und ich weiß es.

Das schlechte Hinterkopfgefühl kommt, und ich versuche, es wegzuschaukeln. Schneller, schneller. Schaukel, schaukel.

»Ach, Tom, jetzt komm schon!« Sie legt die Arme um mich und drückt mich an sich. »Geh wieder schlafen, ja?«

Ich stoße sie weg. Nichts ist in Ordnung. Es ist ganz falsch. Das Muster der Nacht hat sich verzogen und das ist schlecht.

Sie nimmt mein Gesicht in ihre Hände und starrt mich an.

»Ich muss es tun, Tom!«, flüstert sie. »Ich muss weg...«

Weg? Nicht weg! Nein. Katie muss hier bleiben. Hier ist, wo Katie hingehört. Hier. Wenn ich schreie, wird sie mich verstehen. Sie muss mich verstehen.

»Pssst, Tom, du wirst noch Mum aufwecken!« Katie schüttelt mich und runzelt so doll die Stirn, bis ihr ganzes Gesicht voller Falten ist. »Es wird alles okay – ich komm ja wieder. Ich mach nur ein bisschen Urlaub. Nur eine Woche oder so, auf der Farm, mit Joe, und dann komm ich nach Hause. Okay?«

Ich schaukle schneller, aber das scheint sie nicht zu merken. Sie starrt aus dem Fenster.

»Foxhole Farm«, flüstert sie. »Foxhole, klingt das nicht toll? Da gibt's bestimmt Füchse in der Umgebung und auf der Farm leben vielleicht auch Tiere wie bei deiner Spielzeugfarm, weißt du noch?«

Pferde. Schweine. Hunde.

»Und Joe sagt, er geht mit mir im Wald spazieren und wir... Tom, hör auf!«

Nicht der Joe. Der Joe ist nicht nett, nicht lieb. Sein Mund lächelt, aber im Kopf ist er böse.

»Tom, sei still!«

Aber ich höre nicht auf. Schreien, schreien, treten, knallen.

Katie legt mir eine Hand auf den Mund. Schrecklich, das mag ich nicht.

»Okay, Tom, ich werde nicht weggehen. Ich werd hier bleiben. Katie wird hier bleiben. Aber jetzt pssst.«

Sie berührt meine Fingerspitzen.

»Ich werde hier bleiben, Tom. Schlaf jetzt. Sei ein lieber Junge.«

Ich sehe zu ihr hoch.

»Es ist okay«, sagt sie. Aber sie weiß, dass das nicht stimmt. Und ich weiß es auch.

Wie schon gesagt, ich bin ja nicht blöd.

Lydia

Freitag, 29. Juni
7:15 Uhr

Das muss das Ende sein. Bestimmt. Noch nie im Leben ist mir so elend gewesen. Mein Kopf fühlt sich an, als würde er gleich platzen, und ich weiß, wenn ich mich auch nur einen Zentimeter bewege, werde ich mich übergeben.

Es muss die Pastete mit Schweinefleisch gewesen sein, die ich gestern Abend gegessen habe. Die lag mir schon schwer im Magen, kaum dass ich sie runtergeschluckt hatte. Ich wette, sie war auch an meinem Albtraum schuld. Was denn auch sonst – ich habe ja seit Monaten nicht mehr von... nicht mehr schlecht geträumt. Es ging irgendwie um meinen Vater und das Baby und dann um Ihn und wie Er mich immer geschlagen hat. Entsetzlich.

Anscheinend habe ich laut aufgeschrien. Das sagt zumindest Katie. »Nein, nein, ich wollte doch nicht – bitte lass mich in Ruhe!« Das hätte ich geschrien.

»Mum, es ist doch nur ein Traum!« Ihre Worte klangen, als kämen sie von weit her. »Alles okay – nur ein böser Traum.« Sie muss mich geschüttelt haben, versucht haben, mich zu wecken, aber natürlich träumte ich immer noch und dachte, es wäre Er, und das ließ mich nur noch lauter kreischen.

Als ich endlich zu mir kam, drehte sich der Raum, und mir war sterbensübel und zum Heulen und ich zitterte wie verrückt. Zu allem Unglück stand auch noch Tom auf der Schwelle, zupfte an seinen Schlafanzugknöpfen und wimmerte, wie immer, wenn es irgendwelche Aufregung gibt. Ich wusste, dass ich aufstehen und zu ihm gehen sollte, aber mir war so scheußlich zumute, dass ich mich einfach nicht rühren konnte. Und da sagte Katie, sie würde mir einen Tee bringen.

Sie dürfte gleich wieder da sein, und dann muss ich sie wohl bitten, sich um Tom zu kümmern. Er sitzt am Fußende meines Bettes, wiegt sich und macht dieses schreckliche Jammergeräusch, wie immer, wenn er Angst hat. Ich habe ihm gesagt, dass alles in Ordnung ist, aber das scheint nichts zu nützen. An manchen Tagen hat man das Gefühl, man dringt zu ihm durch, und an anderen ist es, als würde man auf eine Mauer einreden.

Da kommt Katie ja schon. Meine Güte, sie hat ein hübsch angerichtetes Tablett mit einer Serviette drauf gebracht und Toast und sonst was. Natürlich versucht sie, sich wieder gut mit mir zu stellen, ihr Versagen in der Schule irgendwie wettzumachen. Trotzdem ist das nett von ihr. Vielleicht bessert sie sich ja. Nicht dass ich auch nur einen Bissen runterbringen könnte. Mein Magen rumort schon beim leisesten Gedanken daran.

»Du musst was essen, Mum«, sagt sie in dem forschen Ton, den sie manchmal draufhat. »Das beruhigt den Magen.«

»Ich kann nicht, ich hab eine Lebensmittelvergiftung«, erkläre ich ihr durch zusammengebissene Zähne. »Und wenn ich noch weiterrede, habe ich Angst, dass ich mich gleich hier aufs Federbett erbrechen muss.«

»Wohl eher eine Brandyvergiftung!«, schießt sie zurück, wirft den Kopf nach hinten und reckt das Kinn. »Du stinkst ja noch nach dem Zeug!«

Das ist natürlich Quatsch. Ich meine, so viel habe ich nun auch wieder nicht getrunken – nur genug, um mich zu entspannen und um leichter einschlafen zu können. Großkotzige Göre – so viel zum Thema, sie würde sich bessern. Der würde ich schon den Marsch blasen, wenn ich die Energie dazu hätte.

»Warum machst du das, Mum?« Sie hat sich aufs Bett fallen lassen und meine Hand genommen. »Warum? Du weißt doch, dass du dich davon am nächsten Tag sauschlecht fühlst.«

Was soll ich dazu sagen? Wie kann ich es ihr erklären? Sie würde mich sowieso nicht verstehen – könnte mich gar nicht verstehen. Schließlich ist sie ja noch ein Kind. Was weiß sie schon von dem Schmerz und dem Leid und dem Elend? Der Brandy nimmt den Schmerz weg – für ein paar Stunden kann ich mich dann wie eine normale Sechsundvierzigjährige fühlen, kann lachen, ein Lied singen. Kann vergessen, dass Tom nicht wie andere Jungen ist, dass Jarvis mit seinem Tod alles kaputtgemacht hat. Und kann Ihn vergessen. Das ist nicht viel, aber was bleibt mir denn sonst?

Nein, ich kann nicht erwarten, dass Katie das versteht. »Mum?« Sie beugt sich vor und beobachtet mich nervös, während sie mir den Teller mit Toast hinschiebt.

»Kümmer dich um Tom, mein Schatz«, flüstere ich, würge die Worte fast heraus, als der Geruch nach Sardellenpaste meine Nase erreicht.

Sie schüttelt den Kopf.

»Ich kann nicht, Mum. Ich hab keine Zeit.«

»Was soll das heißen, du … oh Gott!« Die Magensäure schießt mir in die Kehle hoch. Ich halte mir eine Hand vor den Mund, strample die Bettdecken weg und taumele hinaus zur Toilette.

»Du bist echt eklig, Mum!« Katies Stimme kippt um zu einem Schluchzer, der vom Geräusch meines Würgens übertönt wird.

Dabei hat sie Recht. Ich ekle mich ja schon vor mir selbst.

Oh Gott, ich bin wirklich zum Kotzen.

Einfach widerlich.

Zwischen einem Schwall und dem nächsten kann ich hören, wie sie im anderen Zimmer leise auf Tom einredet.

»Es ist schon okay, Tom, gleich geht's ihr besser, mach dir keine Sorgen, Tommy, alles wird gut.« Sie spricht in diesem Singsangton, den er so gern mag, und ich weiß, dass ihn das besänftigt. »Mum hat nichts Schlimmes, Tom, es geht gleich wieder.«

Von wegen. Aber ich muss mich zusammenreißen. Ich muss in Form sein, für Tom.

Tom braucht mich.

Jetzt fühle ich mich schon ein bisschen besser. Leer, aber besser.

»Mum!« Katie steht auf der Schwelle, die Nase vor Ekel gerümpft, während ich die Klospülung betätige und registriere, dass sie schon angezogen ist, fertig für die Schule. »Geht's wieder? Ich muss nämlich los...«

»Aber doch noch nicht gleich!« Meine reizende Tochter meint wohl, sie kann einfach verschwinden und mich mit der ganzen Arbeit allein lassen. »Tom ist nicht mal angezogen und dann braucht er sein Frühstück – aber mir wird schon beim Gedanken an Essen wieder übel. Du musst es ihm machen.«

Ich hieve mich auf die Beine, drehe den Hahn auf und spritze mir kaltes Wasser ins Gesicht.

»Mum«, sagt Katie und streicht mir über den Arm, »ich gehe heute früher in die Schule. Du hast ja Recht – ich muss mich wirklich mehr anstrengen, und ich dachte, wenn ich jeden Morgen vor dem Unterricht noch in der Bibliothek lerne, könnte ich den Anschluss wieder schaffen.«

Sie sieht mich mit diesen riesigen, fremdartigen Augen an – Augen genau wie Seine.

»Ja, also...« Ehrlich gesagt hat sie mich überrumpelt. »Damit kannst du morgen anfangen. Heute brauche ich dich hier.«

Katie macht den Mund auf und sagt etwas, aber ich verstehe sie nicht, weil in diesem Moment draußen ein Riesenkrach losgeht – das höllische Quietschen von einem Lastwagen im Rückwärtsgang und genügend Geknalle und Geklapper, um sogar Tote aufzuerwecken.

»Oh, mein Kopf!« Ich kann mich nicht beherrschen, sondern schreie einfach los. Bei dem Lärm fangen meine Schläfen an zu dröhnen und das Gefühl von Übelkeit überschwemmt mich schon wieder. »Was in drei Teufels Namen ist da los?«

»Es ist bloß die Müllabfuhr!« Katie wirft einen Blick auf ihre Uhr und macht ein erschrockenes Gesicht. »Die ist aber früh dran! Ich wollte noch... ich will nur – da ist noch ein Müllsack, der rausmuss. Ich mach das!«

Und damit ist sie weg, trampelt die Treppe runter in diesen scheußlichen silbernen Turnschuhen, die sie ja so unbedingt haben wollte. Ich verstehe einfach nicht, warum die Jugendlichen heute alle unbedingt Schuhe tragen müssen, in denen ihre Füße wie U-Boote aussehen, aber sie findet so was anscheinend wahnsinnig schick. Natürlich darf sie sie nicht in die Schule anziehen. Pipers Court hat in der Hinsicht strenge Vorschriften, was ich nur gutheißen kann.

Ich muss schon sagen, dass Katie sich doch Mühe zu geben scheint. Ich meine, normalerweise würde sie es nicht mal merken, wenn ein Dutzend Müllsäcke eine Ewigkeit in der Küche rumliegen würden.

Jetzt macht Tom schon wieder Theater. Es muss der Krach sein, der ihn aufregt.

»Schon okay, Tom – nur ein großer Laster, keine Sorge.« Das sage ich dreimal, aber er hört mich nicht, macht einfach weiter mit seinem Geheul und Geschaukel. Ich kann mir also ausrechnen, was das für ein Tag werden wird, und ehrlich gesagt weiß ich nicht, wie ich ihn überstehen soll. Wenn Katie den Müll rausgetragen hat, muss ich sie bitten, dass sie erst mal Tom anzieht.

Sie kann mir nicht alles überlassen. Nicht wenn ich mich sterbenskrank fühle.

Echt gemein, so eine Lebensmittelvergiftung.

Katie

Freitag, 29. Juni
8:25 Uhr

*I*ch hab's geschafft! Ich hab's wirklich geschafft! Gottlob ist der Bus nicht voll – meine Knie sind butterweich und ich kann nicht aufhören zu zittern. Schon komisch – einerseits bin ich total glücklich und in Hochstimmung, andererseits schlottere ich vor Angst. Im Moment hab ich das Gefühl, als würde die Angst Oberwasser kriegen.

Als die Müllabfuhr so früh aufkreuzte, dachte ich schon, ich hätte alles vergeigt. Ich hatte Visionen davon, wie meine Reisetasche im Schlund des Wagens verschwindet und alle meine neuen Klamotten zu Häcksel verarbeitet werden. Ich kam gerade noch rechtzeitig. Ich raste aus dem Haus und riss in dem Moment das Gartentor auf, als der Müllmann anfing, unsere Säcke zu packen und hinten auf den Wagen zu schmeißen.

»Den nicht!«, flüsterte ich laut, als seine Hand schon über dem letzten schwebte. Rufen konnte ich nicht, weil ich Angst hatte, Mum könnte mich hören.

Der Typ sah zu mir rüber und biss auf seinem Kaugummi rum. »Was?«

»Der Sack da soll nicht mit!«, erklärte ich und griff sicherheitshalber gleich danach.

»Die meisten Leute«, sagte er mit einem schiefen Grinsen, »stellen keinen Müll auf die Straße, wenn sie ihn nicht loswerden wollen.«

»Es war ein Irrtum«, murmelte ich und beschwor ihn im Geist, mit seiner Arbeit weiterzumachen und mich in Ruhe zu lassen.

Er zwinkerte mir zu.

»Liebesbriefe, was? Hast sie in einem Wutanfall weggeschmissen, und jetzt hältste es nicht aus, dich von ihnen zu trennen? Wetten, das isses!«

»Nein – ja, so was in der Art!« Ich versuchte, cool und lässig auszusehen, was nicht leicht ist, wenn einem der Gestank einer ganzen Straße voll vergammeltem Müll in die Nase weht.

»Dacht ich's mir doch!«, rief er triumphierend.

Er fing wieder an zu kauen, ging aber zu meiner Erleichterung ein paar Schritte weiter.

»Ich denk mir gern Geschichten über die Sachen aus, die die Leute wegschmeißen«, rief er, während der Wagen langsam die Straße weiterrollte. »Macht den Job interessanter!«

Damit drehte er sich um und griff nach den nächsten Müllsäcken. Ich riss die Plastikfolie auf, schnappte mir die blaue Reisetasche und warf einen Blick zu den Fenstern unseres Hauses hoch. Niemand in Sicht.

Ich stopfte den zerrissenen Sack in die Hecke nebenan und marschierte los. Ich musste mich echt zusammenreißen, um nicht den ganzen Weg bis zur Bushaltestelle zu rennen, aber ich wollte ja keine Aufmerksamkeit erregen. Zum Glück brauchte ich nicht lange zu warten. Der Sieben-Uhr-fünfundvierziger war superpünktlich, und als ich zum Busbahnhof kam, stand der Milton-Keynes-Express schon mit laufendem Motor in der Haltebucht. Außerdem ist er halb leer, was bedeutet, dass ich einen Doppelsitz für mich allein habe. Und in etwas mehr als einer Stunde bin ich schon mit Joe zusammen.

Ich liebe ihn so sehr. Er ist so ruhig und stark und weiß einfach für alles einen Rat. Wenn er mich umarmt, fühle ich mich ganz sicher – als könnte nichts auf der Welt nahe genug an mich herankommen, um mir wehzutun. Er sagt, das Schlimmste, was man machen kann, ist, andere zu verletzen, und es wird Zeit, dass Mum ein bisschen was von dem Schmerz am eigenen Leib erlebt, den sie anderen verursacht. Als ich ihm erzählte, was letztes Wochenende passiert ist, hatte er echt Tränen in den Augen. Die meisten Typen würden sich niemals beim Weinen erwischen lassen, aber Joe ist eben anders. Er sagte, meine Schmerzen seien seine Schmerzen und meine Trauer seine Trauer. Das war echt süß.

Wir sind jetzt aus Kettleborough raus und fahren Richtung Autobahn. Das Abenteuer geht los. Ich bin wirklich abgehauen.

Dabei habe ich sie sogar noch gewarnt.

»Ich halte das nicht mehr aus, Mum!«, habe ich letzten Sonntag geschrien, nachdem sie mich geschlagen und diese schrecklichen Sachen gesagt hatte. »Eines Tages gehe ich aus dieser Tür und komme nie, nie mehr wieder!«

Natürlich ist sie daraufhin in Tränen ausgebrochen und hat geschnieft, das Leben würde ihr mehr Probleme bescheren, als eine Frau allein verkraften könnte. Ich sagte nichts weiter; ich konnte nicht. Ihre Worte klangen mir immer noch in den Ohren, sie waren wie Gift.

Alles hatte damit angefangen, dass sie mich weinend in meinem Zimmer fand. Ich war nach oben gegangen, weil Mum schon den ganzen Tag total miese Laune gehabt hatte und ich nicht in ihrer Nähe sein wollte. Ich hatte auf dem Fußboden gesessen und Fotoalben angesehen und ein paar Bilder von Dad und mir gefunden, aus der Zeit, als ich noch ganz klein war. Da war eines, auf dem wir einen steilen Hügel in den Sussex Downs runterrodelten, und ein anderes von dem Tag, als er mir das Schwimmen beibrachte. Im einen Moment schaute ich lächelnd auf die Fotos und im nächsten brach ich in Tränen aus und ausgerechnet da kam sie in mein Zimmer.

Ich wusste sofort, dass sie getrunken hatte, schon weil sie sich am Türrahmen anklammerte und ihr Kinn vorschob, als wollte sie sagen: Na los, frag mich doch, ob ich die Flasche rausgeholt habe.

»Was hast du denn, Mucki?«, fragte sie in ziemlich nettem Ton, wie ich zugeben muss.

»Dad – er fehlt mir so schrecklich«, schluchzte ich. »Ohne ihn ist nichts mehr so wie früher.«

Sie schniefte nicht gerade freundlich, sagte aber nichts weiter.

Ich schob das Album über den Fußboden näher zu ihr.

»Guck mal!«, sagte ich. »Die sind von mir und Dad, als ich noch ein halbes Baby war – bevor Tom auf die Welt kam.«

Sie nahm das Album hoch und betrachtete lange die Fotos.

»Findest du, dass ich Dad ähnlich sehe?«, fragte ich. Eigentlich kannte ich die Antwort schon, aber ich fahnde immer noch nach irgendwelchen Kleinigkeiten, die ich vielleicht doch von ihm geerbt habe. Ich habe Mums aschblonde Haare und ihre Sommersprossen, und leider bin ich so stämmig wie sie und kein bisschen gelenkig wie mein Vater, der ein echter Sportlertyp war.

»Ob du deinem Dad ähnlich siehst?«, wiederholte Mum langsam, und ich merkte, dass sie viel betrunkener war, als ich gedacht hatte. Ihre Augen schossen unkontrolliert hin und her und sie konnte nur noch nuscheln. »Ob du deim Dad ähnlich siehs?«

Sie blickte mich an.

»Warum würdste aussehn wollen wie *der*?«

Bevor ich noch antworten konnte, war sie zwei Schritte auf mich zugekommen.

»Ich hab gesagt – warum würdste aussehn wolln wie *der*?«

»Weil ich ihn lieb habe und ...«

Sie schleuderte das Album auf den Boden.

»Lieb haben? Ha!«

Sie wischte sich mit dem Handrücken über den Mund.

»Der hat nix von Liebe verstanden, da kannste Gift drauf nehm!«, zischte sie und stützte sich auf eine Stuhllehne. »Dein

Dad doch nicht – niemals! Dich lieb haben? Oh nein – der hätt ja nich mal gewusst, wie!«

In Büchern kann man manchmal lesen, dass jemandem vor lauter Entsetzen das Blut in den Adern gefriert. Ich hatte immer gedacht, das wäre Blödsinn, aber es stimmt. Jetzt erlebte ich es selbst. Mir war übel und eiskalt.

»Aber natürlich hat er mich lieb gehabt!«, heulte ich los. »Er hat mich seine Prinzessin genannt und gesagt, ich wäre das größte Glück in seinem Leben.«

Sie stand stocksteif in meinem Zimmer und glotzte mich an, als würde ich in irgendeiner fremden Sprache sprechen.

»Was?«

»Dad!« Ich stieß jedes Wort einzeln aus. »Er hat mich sehr lieb gehabt – und ich vermisse ihn und...«

Aber dann musste ich zu sehr weinen, um den Satz zu beenden.

»Wie du meinst«, murmelte sie und wandte sich zum Gehen.

»Mum!«, kreischte ich. »Lass mich jetzt nicht allein! Und wag es bloß nicht, mir irgendwelche Lügen über meinen Dad zu erzählen! Dad war immer lieb zu mir, was ich von dir nicht behaupten kann! Du bist doch diejenige, die nichts von Liebe versteht, nicht er! Sieh dich bloß an – eine besoffene Schlampe!«

Und da schlug sie mich. Mitten ins Gesicht. Zweimal.

Ich hab's wohl verdient. Das hätte ich nicht sagen dürfen.

Aber es war leider die Wahrheit.

»Du kleines Aas!«, zischte sie. »Ich will dir mal eins sagen: Du kommst mit Sicherheit nach deinem Vater. Diesem gemeinen, bösartigen...«

Sie beugte sich so weit zu mir vor, dass ich ihre Brandyfahne riechen konnte.

»Dad war nie gemein!« Meine Worte wurden immer wieder von Schluchzern unterbrochen. »Er war toll, er war lieb und...«

»Der? Dieser dicke, fiese …«

Sie schwankte und blinzelte heftig.

»Ach – glaub doch, was du willst! Wahrscheinlich wäre alles einfacher gewesen, wenn ich dich gar nicht erst gekriegt hätte!«

Mit diesen Worten machte sie auf dem Absatz kehrt und verschwand.

Ich weiß nicht, wie lange ich nur so dastand. Ich zitterte vor Wut. Wie konnte sie es wagen, so über meinen toten Vater zu sprechen? Dad war liebevoll und lustig, und … okay, für Mum war er manchmal ein bisschen der Fußabtreter gewesen, aber ich hatte ihn schrecklich lieb.

Warum nur hatte sie ihn dick und fies genannt? Mum musste noch viel betrunkener sein, als ich gedacht hatte.

Meinte sie wirklich, dass das Leben ohne mich leichter gewesen wäre? Hatte mein Dad das auch gedacht?

Nein. Das konnte ich nicht glauben. Er hatte mich lieb gehabt. Das wusste ich.

Als ich irgendwann später nach unten kam, saß Mum in einem Sessel und weinte.

»Tut mir Leid, Mucki«, hickste sie. »Ich wollte dich nicht hauen – du hast mich einfach provoziert.«

Na klar – als hätte ich höchstpersönlich die Brandyflasche entkorkt und ihr das Zeug in die Kehle gekippt.

Ich antwortete nicht. Ich konnte nicht.

An diesem Abend erzählte ich Joe die ganze Geschichte. In den letzten paar Monaten hatten wir uns regelmäßig getroffen, jeden zweiten Dienstag, das ist nämlich die Zeit, zu der er hierher kommen kann. Ich erzählte ihm, was Mum Schlimmes über meinen Dad gesagt hatte, und auch von den Schlägen – einfach alles. Er wurde ganz bleich und ballte die Fäuste und marschierte mehrmals neben dem Spielplatz auf und ab – das war immer unser Treffpunkt.

»Jetzt reicht's«, sagte er schließlich. »Es ist höchste Zeit.«

»Zeit für was?«, fragte ich.

»Dass du abhaust.« Er verschluckte sich fast an seinen Worten.

»Aber ich kann nicht…«, fing ich an.

»Oh doch«, drängte er. »Das wird ihr eine Lehre sein.«

Ich schüttelte den Kopf.

»Ich kann wirklich nicht«, erklärte ich. »Tom braucht mich doch.«

Joe starrte mich lange an und lächelte dann.

»Tom ist nicht dein Problem«, sagte er leise. »Du kannst niemand anderem helfen, solange du dein eigenes Leben nicht auf die Reihe gebracht hast.«

Er nahm mich in die Arme, drückte mein Gesicht an seine Schulter und küsste mich auf den Nacken.

»Liebe kleine Katie«, flüsterte er mir ins Ohr. »Vertrau mir. Du wirst sehen – dadurch wird sich alles verändern, das schwör ich dir.«

Seine Stimme war so sanft und die Umarmung so schön, dass ich losheulte.

»Du glaubst doch auch, dass mein Dad mich lieb gehabt hat?«, flüsterte ich unter Tränen.

Er drückte mich noch fester an sich – beinahe zu fest.

»Ist ja wohl anzunehmen, ja!«, sagte er fast widerwillig.

Das waren zwar nicht ganz die Worte, die ich hören wollte, aber ich wusste, dass er es nur gut meinte.

Und dann machten wir einen Plan – den Plan, den ich jetzt in die Tat umsetze. Joe sagte, er würde mich zu der Farm mitnehmen, wo er mit mehreren Leuten zusammenlebt. Es ist eine Art Kommune mit Studenten und Künstlern und Typen wie ihm, die sich eine kleine Auszeit nehmen, um herauszufinden, was sie mit ihrem Leben anstellen wollen.

Das klingt echt cool.

Er will ihnen sagen, dass ich seine Freundin bin. Schon bei dem Gedanken daran rieselt es mir den Rücken runter. Ich liebe ihn so wahnsinnig.

In weniger als einer Stunde werde ich mit ihm zusammen sein, und er wird dafür sorgen, dass alles gut wird.

Das kriegt er immer hin.

Grace

Freitag, 29. Juni
9:30 Uhr

*I*ch bin nur auf einen Sprung bei Lydia vorbeigegangen. Aber ich wünschte, ich hätte es bleiben lassen. Ehrlich gesagt kann man es dieser Frau manchmal nicht recht machen. Kaum bin ich durch die Tür, zetert sie auch schon los, dass Katie früher als sonst in die Schule gegangen ist, ohne sich von ihr zu verabschieden.

»Na«, sagte ich so fröhlich, wie ich konnte, »das beweist ja zumindest, dass sie sich ins Zeug legt. Ich meine, du wolltest doch, dass sie mehr für die Schule tut, oder?«

»Ich wollte sie hier haben«, erwiderte Lydia so trotzig wie eine Fünfjährige. »Heute Morgen fühle ich mir gar nicht wohl und hätte ihre Hilfe gebraucht, mit Tom und dem Frühstück und allem.«

Sie sah auch wirklich ziemlich groggy aus, aber ich denke, das kam vom Alkohol. In der Zeit, die ich für einen kleinen, mit Cola verdünnten Brandy brauchte (und die Hälfte davon habe ich sogar in den Gummibaum gekippt, als sie auf Toilette ging), hat sie gleich vier große Gläser gekippt. Bill meint, ich sollte mich strikt weigern, etwas mit ihr zu trinken, aber das ist leichter gesagt als getan. Sie ist nun mal ganz allein, und manchmal denke ich, wenn sie mich zum Reden hat, hilft ihr das, nicht so abzusacken, wie sie das sonst vielleicht täte. Obwohl uns beiden mit einer Tasse Tee mehr gedient wäre. Vielleicht mache ich ihr beim nächsten Mal den Vorschlag – ich fürchte nur, sie wird mich glatt überhören. Denn sie trinkt ja schon seit Jahren.

Eigentlich jammerschade, weil sie eine gut aussehende Frau ist. Nicht hübsch im üblichen Sinne, aber eindrucksvoll. Dichtes blondes Haar, hohe Wangenknochen und große Augen. Es ist die Haut, die sie verrät. Sie hat auf beiden Wangen lauter geplatzte Äderchen und das kommt eindeutig vom Alkohol. Nein, nächstes Mal werde ich mich weigern, einen Schluck mitzutrinken. Ich will mein Gewissen nicht weiter belasten.

Als sie sich erschöpfend darüber ausgelassen hatte, dass Katie einfach verschwunden und Tom schlecht drauf war, fing sie von IHM an. Ich denke an IHN immer in Großbuchstaben, weil sie nie seinen Namen erwähnt. Natürlich kenne ich nicht die ganze Geschichte. Wir haben uns aus den Augen verloren, als sie das Heim verließ und zu ihrem Vater zurückging, und unsere Freundschaft erst erneuert, als wir uns zufällig im Zug wieder trafen. Jedenfalls verbucht sie alles unter der Überschrift »Wie schlecht das Leben mich behandelt« und das kann ich allmählich nicht mehr hören. Schließlich bin ich genauso ins Heim gesteckt worden und weiß selber noch, wie hart das war. Keine Eltern mehr und eine Großmutter, die zu krank war, um mich zu sich zu nehmen. Aber es bringt nichts, ewig über die schlechten Zeiten zu jammern. Das hilft einem doch auch nicht weiter.

»Wir haben alle unser Päckchen zu tragen, Lyddy«, sagte ich zu ihr. »Guck nur mal mich an – ich hab zwölf Jahre auf ein Baby gewartet, und dann zieht der einzige Sohn, den ich habe, mit achtzehn beleidigt von dannen und ich kriege ihn nicht mehr zu Gesicht.«

Komisch – sie hat nie nachgefragt, warum Gareth verschwunden ist. Aber selbst wenn sie das täte, würde ich es ihr erzählen? Was sollte ich sagen?

»Gareth hat uns mitgeteilt, dass er schwul ist, und seither spricht sein Vater nicht mehr mit ihm, also ist er weit weggezogen, nach Aberdeen, wo er mit seinem Freund zusammenlebt.«

Das ist die Wahrheit, aber könnte ich sie aussprechen? Ein Teil von mir denkt, dass sich das noch legen kann – junge Menschen machen schließlich alle möglichen Phasen durch, und wenn er ein bisschen älter ist, wird er vielleicht ein nettes Mädchen kennen lernen und...

Nur dass ich weiß, dass das nicht stimmt. Nicht dass ich Vorurteile hätte oder mich seinetwegen schämen würde. Ich kann bloß den Gedanken nicht ertragen, dass ich nie Enkelkinder haben werde.

Das ist der Teil, der wehtut.

Trotzdem habe ich nie ein Wort darüber verlauten lassen, obwohl es Lydia vielleicht mal ganz gut getan hätte, etwas von meinen Kümmernissen zu erfahren. Ich hätte auch über Bills Entlassung und unsere finanziellen Probleme sprechen können; ich hätte ihr von Niall erzählen können, meinem Verlobten, den ich von ganzem Herzen liebte und der mit vierundzwanzig an Krebs starb. Aber ich tat es nicht. Die Vergangenheit lässt man am besten ruhen, sage ich immer.

Schließlich fragte ich sie, ob ich ihr irgendwas aus dem Laden mitbringen sollte, und stieß einen Seufzer der Erleichterung aus, als sie meinte, ihr fiele nichts ein.

Das heißt, ich muss heute nicht noch mal bei ihr vorbeigehen. Ich weiß, das ist nicht nett von mir, aber sie ist eben auch nicht mehr dieselbe wie früher.

Sie wird allmählich echt anstrengend.

Tom

Freitag, 29. Juni
10:30 Uhr

*I*ch habe einen Smiley von der Frau Lehrerin auf die Hand gestempelt gekriegt. Man bekommt einen Smiley, wenn man was Gutes macht, und den hier habe ich für das Bild von Katie bekommen. Ich habe Katie mit dem schwarzen Sack und dazu die Sterne am Himmel gemalt. Ich wollte auch die silbernen Schuhe malen, aber in meiner Buntstiftdose war nicht die richtige Silberfarbe, und das hat mich sauer gemacht. Meine Lehrerin kam gleich her, als ich schrie – das tut sie immer. Sie ist echt nett.

»Wer ist das?« Sie zeigte auf meine gemalte Katie.

Und dann fragte sie: »Was hast du denn, Tom? Stimmt irgendwas nicht?«

Ich legte meinen Bleistift dahin, wo die Schuhe hinsollten, und sie gab mir einen roten Buntstift. Den warf ich gleich auf den Fußboden.

Dann versuchte sie es mit einem blauen und einem grünen und einem orangefarbenen, und ich wollte gerade so richtig böse werden, als sie mir den Glitzerschimmerstift gab, der für besondere Sachen da ist.

Sie ist echt schnell, meine Lehrerin, anders als manche blöden Leute. Ich klatschte in die Hände – das mache ich immer, wenn jemand mich versteht.

Und da hat sie mir den Smiley gegeben. Es muss wirklich ein gutes Bild sein.

Sie hängte es mit diesem Klebezeug hintendrauf an die Wand.

»Das ist so toll geworden, Tom, dass es alle sehen sollen«, sagte sie.

Und dann gab sie mir einen Schokolutscher.

Es ist ein sehr guter Lutscher. Ich kann mit der Zunge Muster darauf machen. Ich mag Muster.

Katie

Freitag, 29. Juni
14:30 Uhr

*M*ir ist übel. Irgendwas stimmt nicht mit diesem Auto. Obwohl alle Fenster zu sind, kann ich die Auspuffgase riechen. Außerdem ist es total unbequem. Man spürt jedes Schlagloch und jede Bodenwelle auf der Straße. Ich wünschte, wir säßen in Joes Lieferwagen, aber er meint, der wäre viel zu auffällig.

»Wir wollen doch nicht, dass irgendwer meine künstlerischen Ergüsse beglotzt«, sagte er. »Der Lieferwagen ist genau die Art von Fahrzeug, an das sich die Leute erinnern, aber wir brauchen etwas total Unauffälliges.«

Als ich in Milton Keynes ankam, glaubte ich einen entsetzlichen Moment lang, Joe hätte es sich anders überlegt, hätte beschlossen, unseren Plan nun doch nicht durchzuziehen. Ich suchte mit den Augen den Parkplatz nach seinem Wagen ab – ich ging sogar zur Hinterseite des Busbahnhofs und guckte auf den Langzeitparkplätzen nach. Doch dann blieb plötzlich diese alte Klapperkiste am Bordstein stehen und die Beifahrertür schwang auf. Ich machte vor Schreck einen Satz rückwärts – ich dachte wirklich, irgendein Typ wollte mich anmachen –, bis ich merkte, dass es Joe war.

»Du bist ja noch nicht mal umgezogen!«, zischte er. »Geh aufs Damenklo, und sieh zu, dass du deine Schuluniform loswirst, aber DALLI!«

Dass mich sein Ton total durcheinander brachte, muss mir

wohl deutlich anzusehen gewesen sein, denn er grinste gleich darauf und kräuselte lustig die Nase, um mich zum Lachen zu bringen.

»Die Vorfreude auf unser Wiedersehen ist dir offenbar aufs Erinnerungsvermögen geschlagen«, witzelte er. »Aber hör mal, ich kann hier nicht rumstehen. Ich warte drüben an der Haltestelle auf dich. Und jetzt mach zu!«

Ich rannte zurück, durch die Busbahnhofshalle und in die Toilette, zog meine Schulklamotten aus, streifte die Turnschuhe ab und schlüpfte in die neue Jeans, die Joe mir gekauft hatte, und das tolle Sweatshirt von Gap. Meine Finger zitterten so heftig, dass ich mir kaum die Schnürsenkel zubinden konnte, und als ich mir Lippenstift auftrug, verschmierte ich mir das halbe Gesicht. Aber ich hatte keine Zeit, mich noch mal neu zu schminken.

Als ich mich schließlich durch den Verkehr geschlängelt und Joes Auto gefunden hatte, war ich total außer Atem.

»Spring rein!«, kommandierte er, während seine Augen von links nach rechts schossen. »Schnell!«

Ich stieg in den Wagen – laut Joe ist es ein alter Ford Escort –, warf meine Tasche nach hinten und knallte die Tür zu.

Joe legte den Rückwärtsgang ein, wendete in Sekundenschnelle und brauste dann los in Richtung Aylesbury.

»Das«, sagte er und wandte sich zu mir, »ist der Beginn des LEBENS! Und hey! – du siehst cool aus!«

Er beäugte mich von oben bis unten und drückte meine Hand und ich hätte vor lauter Glück losträllern können. Der Gedanke an volle sieben Tage mit Joe, sieben Tage ohne eine Mutter, die sich betrinkt und mich anbrüllt, oder Tom, der seinen Koller kriegt, und ohne dass ich mir von irgendwem sagen lassen muss, ich würde mein Hirn nicht richtig nutzen – ach, es ist einfach genial.

Anfangs war die Fahrt auch echt aufregend. Wir redeten über die Farm, und Joe erzählte mir von den Leuten, die da leben: Ellie und Matt und Cassie und ein Typ, den sie Flip nennen, weil er von den Philippinen kommt und niemand seinen Vornamen richtig aussprechen kann. Wir aßen Kartoffelchips und Schokolade und tranken die Cola, die Joe eingepackt hatte, und erzählten uns blöde Witze.

Aber danach wurde es ziemlich nervig. Joe wollte unbedingt von der Autobahn runter, also fuhren wir kreuz und quer durchs Land, und manchmal hatte ich das Gefühl, wir würden uns im Kreis bewegen. Oder vielmehr dachte ich, er hätte sich verfahren und könnte es bloß nicht zugeben – Alice sagt, dass Typen nichts mehr hassen, als ihr Gesicht zu verlieren.

»Wie weit ist es denn noch?«, fragte ich nach ein paar Stunden. »Eigentlich müssten wir doch bald in Sussex sein, oder?«

»Wir sind auch fast da«, brummelte Joe und trat aufs Gas. »Ich nehme die längere Strecke – wir wollen doch nicht riskieren, entdeckt zu werden.«

Mittlerweile war mir übel geworden. Auf gerader Strecke passiert mir das nie, doch die kleinen Landstraßen waren kurvig und voller Schlaglöcher. Also bat ich Joe anzuhalten, aber er meinte, das ginge nicht, weil ein Mädchen, das am Straßenrand steht und kotzt, mit Sicherheit die Aufmerksamkeit aller vorbeikommenden Autofahrer auf sich ziehen würde. Er schob mir eine alte Tupperwaredose rüber, und die halte ich jetzt mit beiden Händen fest, während ich bete, dass ich nicht spucken muss, weil das echt uncool wäre.

Ich habe versucht zu schlafen, versucht, mich von der Übelkeit abzulenken und dem säuerlichen Geschmack im Mund und dem ekligen Geruch nach altem Zigarettenrauch und ...

»Ich wusste gar nicht, dass du rauchst!« Ruckartig schlage ich die Augen auf und starre Joe an.

»Tu ich auch nicht«, erwidert er. »Ist sowieso eine saublöde Angewohnheit.«

»Und wieso stinkt es hier im Auto dann nach Rauch?«

Er wirft einen kurzen Blick in meine Richtung.

»Das ist gar nicht meins«, sagt er. »Ich hab's mir geliehen.«

»Von wem?«

»Ist das denn wichtig?« Er klingt gereizt.

Plötzlich kommt mir der Verdacht, dass er es gestohlen hat, aber das ist natürlich hirnrissig. Er wird wohl kaum ein Auto klauen, wenn er sich so verzweifelt bemüht, seine Spuren zu verwischen.

»Es gehört einem Kumpel von mir.« Er lächelt und drückt dabei meine Hand. »Ich hab ihm meinen Wagen geliehen, er hat mir seinen geliehen. Ganz einfach.«

Plötzlich steigt er auf die Bremse und dreht das Steuer herum.

»Da wären wir!«

Das Auto holpert von der Fahrbahn auf einen Feldweg mit tiefen Furchen herunter. Mein Hintern hüpft auf und ab und ich schlage mir fast den Kopf am Wagendach an.

»Okay – steig aus!«

Joe reißt die Fahrertür auf und springt raus, holt das Gepäck vom Rücksitz, knallt die Tür hinter sich zu und bedeutet mir, mich zu beeilen.

Ich bin richtig steif vom langen Sitzen, und mir ist ganz schwummerig, aber ich kann es kaum noch erwarten, die Farm zu sehen.

Nur ist nirgends eine Farm in Sicht. Nichts als ewig weite Felder, ein Buchenwäldchen und ein paar Schafe, die uns nicht zur Kenntnis nehmen.

Joe marschiert schon mit unseren Taschen den Feldweg entlang, und ich habe echt Mühe, ihn einzuholen, auch weil ich den Matschpfützen ausweichen muss, um meine Turnschuhe nicht schmutzig zu machen.

»Wo ist denn die Farm?«, keuche ich und zupfe ihn am Ärmel.

Joe starrt nur geradeaus und hastet weiter.

»Wir sind noch nicht da«, sagt er kurz angebunden. »Komm, hier geht's lang!«

Er packt mich am Arm und zieht mich einen steilen Hang voller Brennnesseln hoch.

»Da!«

Ich schaue mich nach einem Haus um, sehe aber nichts weiter als einen verdreckten, alten Landrover, der auf einem schmalen, mit Unkraut überwucherten Weg steht.

»Hüpf rein!«, kommandiert Joe, während er aus seiner hinteren Jeanstasche einen Schlüssel zieht.

»Was soll das? Warum wechseln wir das Auto? Joe, was ist los?«

Er antwortet nicht, schiebt mich einfach auf den Beifahrersitz, tritt gegen den Vorderreifen und rutscht dann hinters Steuer.

Er lässt den Motor an und der Landrover macht einen Satz nach vorn, durch Farn und Gebüsch und einen weiteren steilen Hang hinunter. Ich klebe fast an der Windschutzscheibe, um sehen zu können, wohin die Fahrt geht.

Und dann setzt mein Herz einen Schlag aus.

Vor uns liegt ein riesiger Steinbruch, aus dem Hang gesprengt, mit großen Löchern voll trübem Wasser und breiten Schlammstreifen. Eine einsame Pylone in Leuchtorange liegt umgekippt im Matsch. Und noch immer ist keine Farm in Sicht.

Plötzlich bekomme ich Angst.

»Joe, was soll das? Wo ist die Farm? Wohin fahren wir?«

Joe bremst ab und legt mir eine Hand aufs Knie. Seine Hände sind groß und knochig und ich lege meine auf seine und fühle mich gleich ein bisschen besser.

»Ich weiß, es ist ätzend, Süße«, sagt er, und bei dem Wort schmelze ich schon wieder, »aber auf die Tour verwischen wir am ehesten unsere Spuren. Ich meine, stell dir nur mal vor, deine

Mutter hat Alarm geschlagen, und dann stell dir vor, irgendwer meldet irgendwo einen Jungen und ein Mädchen, die in einem klapprigen, alten Ford Escort unterwegs sind...«

»Schon klar! Du denkst echt an alles.«

»Wir fahren durch den Steinbruch und den Feldweg auf der anderen Seite hoch und kommen in ein paar Meilen wieder auf die Landstraße«, sagt er und wirkt dabei höchst zufrieden mit sich selbst. »Und später kommt mein Kumpel hierher und schafft das Auto weg und niemand wird was davon spitzkriegen!«

Er hält den Wagen an und beugt sich zu mir rüber und küsst mich.

Es ist ein langer Kuss und seine Hände wandern über meinen ganzen Körper, und ich bin mir nicht sicher, ob ich einen Rückzieher machen oder warten soll, was als Nächstes passiert.

Aber weil mein Magen immer noch rumort, gehe ich vorsichtshalber wieder auf Abstand.

»Nicht jetzt«, murmele ich. »Später.«

Plötzlich frage ich mich, ob ich das Richtige gesagt habe.

Joe beugt sich wieder zu mir und flüstert mir ins linke Ohr.

»Ja, später. Später werden du und ich noch so einiges erleben, Katie Fordyce. Wart's nur ab.«

Irgendwas in seiner Stimme erschreckt mich, aber als ich hochsehe, lächelt er mich an, und ihm fallen die Haare in die Augen.

Er sieht so süß aus.

Ich liebe ihn so wahnsinnig.

Ich kann nur hoffen, dass es Tom gut geht.

Lydia

Freitag, 29. Juni
18:15 Uhr

*I*ch hasse mich. Warum tue ich das? Warum trinke ich zu viel und benehme mich daneben, und das vor Katies und Toms Augen? Für den armen Tom ist es zwar kein großes Problem – ja, es erschreckt ihn erst mal, aber wenn ich dann wieder normal bin, beruhigt er sich schnell und vergisst das Ganze gleich wieder. Katie nicht. Katie vergisst nie etwas.

Ich werde den Blick nicht los, den sie mir heute Morgen zugeworfen hat, als ich mich übergeben musste. Es war reiner Abscheu, als wenn sie schon mein Anblick – wie ich dahockte, den Kopf halb in der Kloschüssel – anekeln würde. Ich kann's ihr nicht mal verdenken – ich bin wirklich zum Kotzen.

»Die reinste Platzverschwendung!«, das hat mein Vater immer gerufen, bevor er mir eins mit dem Lederriemen überzog oder mir einen Fußtritt verpasste, dass ich die Treppe runterflog. Bei ihm war's nicht der Alkohol, nur schierer, ungezügelter Zorn und Hass auf mich. Meine Mutter ist bei meiner Geburt gestorben, und ich wusste immer, dass er wünschte, ich wäre an ihrer Stelle draufgegangen. Er machte sich nicht mal die Mühe, mir einen Namen zu geben; es war meine Großmutter, die »Lydia« für mich aussuchte. Mein Vater nannte mich immer nur »das Blag« oder »die verdammte Göre«.

Nachdem Großmutter ihren Herzinfarkt gehabt hatte, kam ich ins Heim. Und da habe ich Grace kennen gelernt. Sie war eins von den großen Mädchen und richtig nett zu mir, gleich von Anfang an. Ich heulte jede Nacht nach meinem Dad, was schon ein Witz ist, wenn man bedenkt, was er mir angetan hat. Als ich noch bei ihm lebte, war ich immer starr vor Angst, doch als ich ihm weggenommen wurde, wollte ich nichts weiter als den Klang seiner Stimme hören und sein tabakverräuchertes Jackett riechen. Wahrscheinlich mag man in dem Alter eben das am liebsten, was einem vertraut ist. Aber wenn ich richtig aufgewühlt war, setzte Grace sich ans Fußende von meinem Bett und erzählte mir Geschichten und hielt meine Hand, bis ich eingeschlafen war.

Mein Dad kam natürlich zu Besuch. Er brachte mir Comics und Schokolade und nach einer Weile durfte er sogar mit mir in den Park gehen. Manchmal fragte ich, ob Grace mitkommen könnte, weil sie nie Besuch hatte. Dad tat immer so, als hätte er mich gern um sich, aber mir war im Grunde klar, dass er nur auf die Uhr sah, dass er darauf wartete, mich wieder im Willows-Heim absetzen und seine Ruhe haben zu können. Und wenn ich dann im Bett lag, schwor ich mir, wenn ich selbst erst mal Kinder hätte, würde ich ihnen eine echt gute Mutter sein ...

Oh Gott, was habe ich getan? Was habe ich ihr angetan? Was ich letztes Wochenende zu ihr gesagt habe, ist unverzeihlich. Es war die Wahrheit – ich habe sie nicht angelogen, aber das hätte mir niemals rausrutschen dürfen. All die Jahre habe ich dieses Geheimnis gehütet und dann hätte ich es fast verraten. Sie wird denken, dass der Alkohol mich einfach bösartig gemacht hat, wird denken, ich wollte mich bloß an Jarvis rächen – für das, was er getan hat. Jarvis hatte seine Fehler, weiß Gott: all diese Pläne und Fantasien von schnellem Reichtum; all das Gezocke, das uns arm gemacht hat, und dann seine letzte Tat, mit der er Schande über uns alle gebracht hat. Aber ich muss sagen, dass er Katie ein guter Vater war und dass sie ihn lieb hatte. Sie hatte ihn sogar lieber als mich. Wie übrigens praktisch alle Leute.

Außer Tom. Tom hat schon immer mich am liebsten gehabt. Vermutlich deshalb, weil ich immer für ihn da war, Tag und Nacht. Es ist zwar ein wahnsinniger Stress, aber ich denke mir, irgendwie musste Gott mich eben bestrafen für das, was – was ich vor vielen Jahren getan habe, und diese Strafe ist Tom. Nicht dass ich ihn nicht liebe – ich liebe ihn sogar ganz besonders. Er braucht mich.

Ich wünschte, ich müsste nicht dauernd an das letzte Wochenende denken. Die Szene hätte nie passieren dürfen, aber ich hatte mich wirklich mies gefühlt und ein paar Gläschen getrunken. Als ich dann nach oben ging, fand ich Katie in ihrem Zimmer mit den Fotoalben auf dem Fußboden. Sie schluchzte gleich los, wie sehr sie ihren Dad vermisse, und da ist es mit mir durchgegangen – ich dachte, sie würde von Ihm reden. Nur dass sie natürlich nichts von Ihm weiß. Und nie etwas erfahren darf.

Ich werd's bei Katie wieder gutmachen, bestimmt. Ich hab für heute Abend ihr Lieblingsessen gekocht – Spagetti Bolognese. Sogar die Soße hab ich selber gemacht, statt eine fertige zu nehmen; sie wird beeindruckt sein. Ich höre sie schon sagen: »Siehst du, Mum, wenn du dir nur Mühe gibst, kannst du als Köchin ein Ass sein.« Im Moment hat sie's mit diesem Wort.

Aber sie ist spät dran, was mir ein bisschen komisch vorkommt, weil heute Freitag ist und sie früh aushat. Wahrscheinlich hat sie sich mit Alice oder einer anderen Freundin verquasselt. Vielleicht sind sie auch alle in die Stadt gegangen, zum Schaufensterbummeln. Eigentlich ist es mir nicht recht, wenn sie sich in der Einkaufspassage rumtreibt, aber was kann man einer Fünfzehnjährigen noch für Vorschriften machen? Die haben doch alle ihren eigenen Kopf. Nein, wahrscheinlich hat sie einfach keine Lust, nach Hause zu kommen. Mein armes Kind.

Aber wenn sie kommt, werde ich mich mit ihr hinsetzen und ihr versprechen, dass von nun an alles anders wird. Das hab ich zwar schon öfters gesagt, aber diesmal meine ich es ernst. Es ist ja nicht so, als wäre ich abhängig vom Alkohol – ich kann jederzeit aufhören, kein Problem.

Und diesmal tu ich's wirklich.

Ich wünschte nur, Katie würde endlich erscheinen. Tom schlägt schon wieder Krach, er will sein Essen. Der Minibusfahrer sagte, er wäre bereits auf dem Weg zur Schule in einer ganz schlechten Verfassung gewesen, hätte den Kopf gegen die Scheibe geknallt, geschrien, versucht, sich aus seinem Sicherheitsgurt zu befreien.

»So schlimm habe ich es schon lange nicht mehr bei ihm erlebt, Mrs Fordyce«, erzählte er mir, als er Tom ablieferte. »Und die Lehrer sagen, er sei den ganzen Tag über unruhig gewesen.«

Vielleicht hat er gestern Abend mehr mitbekommen, als ich dachte. Nein, Tom doch nicht. Tom hat dafür keine Antennen.

Ich habe ihm erklärt, dass wir erst essen können, wenn Katie wieder da ist, und jetzt geht er dauernd an die Tür und hämmert mit den Fäusten dagegen und schreit. Ich habe versucht, ihn mit seinen Filzstiften und ein paar Blatt Papier ruhig zu stellen, was normalerweise gut funktioniert, aber er hat nichts weiter zustande gebracht als riesige schwarze Kringel, übers ganze Papier verteilt. Die Dinger sehen aus wie ein Haufen Müllsäcke. Das passt eigentlich gar nicht zu ihm. Das Malen ist seine größte Begabung – wenn die Sprecherzieherin doch irgendwann noch Erfolg mit ihm hat, könnte er später, wenn er groß ist, womöglich einen Job daraus machen – Weihnachtskarten entwerfen oder so was in der Art. Man darf die Hoffnung nie aufgeben, sonst wird man verrückt.

Jetzt tritt er schon wieder gegen die Haustür. Er weiß, dass Katie eigentlich schon zurück sein sollte. Solche Sachen scheint er zu spüren.

»Sie kommt bestimmt gleich, Tom, mein Schatz!«

Den Satz hätte ich mir schenken können. Nun brüllt er sogar noch lauter. Ich sollte mal lieber die Fenster zumachen, bevor sich die Nachbarn beschweren.

Ich werde ihm jetzt etwas kochen. Katie kann ja später essen. Bei Tom muss alles streng nach Routine gehen. Alles nach demselben Muster, Tag für Tag.

Manchmal frage ich mich, wie ich es schaffe, nicht durchzudrehen.

Nun komm doch bitte, liebe Katie. Komm doch endlich.

Tom

Freitag, 29. Juni
19:15 Uhr

*H*eute ist ein schlechter Tag. Ein schrecklicher Tag ohne Muster und ich habe Angst. Das Hinterkopfgefühl will nicht weggehen, nicht mal wenn ich den Kopf schüttle oder irgendwo dagegenknalle. Nichts mehr ist so, wie es sein sollte, alles ist ganz neblig und gefährlich geworden.

Mum meint, dass Katie bald heimkommt, aber das stimmt nicht. Ich weiß es.

Mum sagt, wir können nicht Abendbrot essen, bis Katie kommt, aber sie kommt nicht. Das fühle ich im Kopf. Katie hat gesagt, alles würde gut werden, aber es kann nicht gut werden, weil das Muster nicht richtig ist. Sie kommt zum Abendbrot heim. Jeden Tag. Manchmal bleibt sie daheim, und manchmal geht sie noch mal weg, aber sie isst immer ihr Abendbrot in der Küche am Tisch, wo ihr orangefarbener Becher mit dem lustigen Gesicht drauf steht. Immer.

Katie hat gesagt, sie würde mit dem Joe spazieren gehen, im Wald spazieren gehen. Wir waren auch mal im Wald. Wir haben Brote mitgenommen und uns auf eine Decke gesetzt. Mir gefiel es im Wald. Die Bäume machten Flüstergeräusche und die Schatten auf dem Boden tanzten in verschiedenen Mustern. Katie pflückte Blumen und hielt sie mir unter die Nase und ich musste niesen und alle lachten.

Katie kann nicht ohne Mum und mich in den Wald gehen.

Jetzt wird Mum böse. Sie klatscht das Essen auf die Teller und knallt mir meinen hin.

»Nun fang schon an!« Sie zieht meinen Stuhl raus und zeigt drauf. Ich weiß, das bedeutet, dass ich mich hinsetzen soll, aber ich kann nicht. Beim Abendbrot sitze ich neben Katie und Katie ist nicht auf ihrem Stuhl, also kann ich mich auch nicht auf meinen setzen. Es wäre verkehrt rum.

»Wo bleibt sie denn? Wo kann sie nur stecken?« Mum geht hin und her, von der Küche zur Haustür und wieder zurück, hin und her, hin und her. Das mag ich nicht. Ich mache die Augen zu und schaukle. Vor, zurück, vor, zurück. Damit es verschwindet. Damit alle verschwinden.

»Na komm, Tom, setz dich an den Tisch!« Arme ziehen mich hoch, aber ich kneife die Augen fest zu.

»Zeit zum Abendbrot, Tom!«

Ich will nicht. Ich kann nicht. Ich will Katie.

»Oh Tom, wo ist sie bloß?«

Im Wald. Sie sagte, sie würde in den Wald gehen. Such das Papier in der Spielzeugkiste, nimm die Filzstifte, mal die Bäume, zeig es ihr. Zeig Mum die Bäume und wie Katie dazwischen spaziert. Aber nicht den Joe. Er gehört nicht zum Muster.

Ich gebe Mum das Bild.

Nimm es, nimm es!

Ich stoße sie, rufe lauter.

»Sehr hübsch, Tom, wirklich hübsch!«

Sie hat draufgeguckt, aber nicht hingesehen.

Das passiert mir oft mit Leuten.

Es macht mich böse, echt böse.

Grace

Freitag, 29. Juni
21:00 Uhr

*B*ill war nicht gerade begeistert, aber das konnte ich ihm auch kaum verübeln – wir hatten uns gerade zu unserem Fischauflauf hingesetzt, als das Telefon klingelte.

»Lass es klingeln, Schatz«, meinte Bill, während er sich Erbsen auf den Teller schaufelte, als bekäme er seine Henkersmahlzeit.

Das sagt er immer, aber er weiß, dass ich die Spannung nicht aushalte. Was, wenn es Gareth wäre, der anriefe, um die Funkstille mit seinem Vater zu beenden? Was, wenn er einen Unfall gehabt hätte und Jez, sein Freund, uns Bescheid geben wollte?

Aber natürlich war es keiner von beiden, sondern Lydia.

»Kannst du rüberkommen?«, legte sie los, bevor ich überhaupt Gelegenheit hatte, Hallo zu sagen.

»Jetzt nicht, Lydia«, begann ich, und sobald Bill ihren Namen hörte, schüttelte er wütend den Kopf und bedeutete mir, an den Tisch zurückzukommen. »Wir essen gerade.«

»Es geht um Katie«, sagte sie, als hätte sie mich gar nicht gehört. »Sie macht schon wieder Zicken.«

»Lydia, meine Liebe, das ist eine Sache zwischen dir und ihr«, erwiderte ich. »Ich kann nicht...«

»Sie ist nicht nach Hause gekommen.«

Tja, wie ich nachher zu Bill sagte, was konnte ich da machen? Katie hatte sich ja nicht einfach um ein Stündchen verspätet. Herrgott noch mal, es war neun Uhr abends.

»Das ist nicht dein Problem, Grace«, knurrte er, als ich mir den Fischauflauf mit Höchstgeschwindigkeit in den Mund stopfte. »Du bist nicht für Katie verantwortlich.«

Und da platzte mir der Kragen.

»Das ist genau die Haltung, die unser Land langsam, aber sicher zugrunde richtet!«, schoss ich zurück. »Immer ich, ich, ich und die anderen können mir gestohlen bleiben!«

Bill sah ein bisschen perplex aus, aber jetzt war ich voll in Fahrt. Obwohl das keine Entschuldigung dafür ist, was ich als Nächstes sagte.

»Wenn du mit deinem Sohn nichts mehr zu tun haben willst, dann bitte sehr, aber ich hab nun mal was für andere Menschen übrig!«

Kaum waren mir diese Worte über die Lippen gekommen, tat es mir auch schon Leid. Er wurde richtiggehend bleich und schob nur noch sein Essen auf dem Teller herum. Wenn er irgendwas erwidert hätte – egal was –, irgendwas in der Richtung, dass er Gareth vermisste oder gern noch mal einen Versuch machen würde, wieder Kontakt mit ihm zu bekommen, dann wäre ich bestimmt sitzen geblieben. Aber er gab keinen Ton von sich.

»Also«, sagte ich, schob meinen Stuhl zurück und stand auf, »da du dafür gesorgt hast, dass ich keinen Sohn mehr habe, um den ich mich kümmern kann, werde ich jetzt rüber zu Lydia gehen und ihr helfen, Katie zu finden.«

Unterwegs musste ich mitten auf der Straße stehen bleiben, um mich zu sammeln. Ich war den Tränen nahe. Ich versuche ja, tapfer zu sein, aber Gareth fehlt mir schrecklich. Ja, ich weiß, dass junge Männer mit neunzehn kaum je zu Hause bei ihren Müttern sind – aber zumindest tauchen sie in den Semesterferien auf oder schauen mal am Wochenende vorbei. Und Gareth ist kein schlechter Kerl. Er ruft mich einmal pro Woche an. Früher hat er noch gefragt, ob sein Dad ihn vielleicht sprechen wolle, aber die

Mühe macht er sich nicht mehr. Er kennt die Antwort. Ich frage immer extra nach Jez und richte ihm viele Grüße aus, und ich glaube, das gefällt Gareth. Er hat mich sogar schon nach Aberdeen eingeladen, aber zu einem Besuch konnte ich mich nicht durchringen. Nicht solange er und Jez – nein, ich konnte einfach nicht. Das ist nicht besonders nett von mir, aber so ist es nun mal.

Also bin ich wohl auch nicht besser als Bill.

Während ich noch über Gareth und meinen Widerwillen nachdachte, zu ihm zu fahren, fiel mir plötzlich ein, wo Katie wahrscheinlich steckte. Bei der Pyjamaparty, zu der ihre Mutter sie nicht gehen lassen wollte. Es überraschte mich, dass Lydia nicht selbst darauf gekommen war.

»Also, Lyddy, jetzt mach dir mal keine Sorgen, ich glaube, ich weiß, wo sie ist!«, platzte ich gleich in dem Moment heraus, als sie die Tür aufmachte. Sie sah furchtbar aus und ich konnte Tom im Wohnzimmer hören, sein tiefes, monotones Gestöhne, mit dem er anzeigt, dass er sich von allem um ihn herum abschottet. »Sie ist bestimmt zu dieser Party gegangen.«

Lydia starrte mich an.

»Party? Welche Party?«

Ich konnte nicht fassen, dass sie das vergessen hatte – nach dem Riesentheater, als es darum ging, ob Katie hingehen durfte. Aber das macht der Alkohol – er vernebelt einem das Hirn.

»Du weißt doch noch«, hakte ich nach, während ich ihr ins Wohnzimmer folgte, »sie sagte, eine Freundin von ihr würde eine Party mit Übernachtung veranstalten und da wollte sie hin. Du hast es ihr verboten, weil sie…«

»Ach, genau!« Jetzt ging Lydia ein Licht auf. Sie packte mich am Arm und zog mich zum Sofa. »Und du glaubst, sie hat es tatsächlich gewagt, gegen mein Verbot…«

»Na, wenn sie dort ist, wissen wir zumindest, dass ihr nichts passiert ist«, unterbrach ich sie schnell. »Ruf doch einfach bei diesem Mädchen an und frag, ob du mit Katie reden kannst.«

Kaum dass ich Katies Namen ausgesprochen hatte, begann der kleine Tom, zu schreien und zu schaukeln und sich so heftig an den Haaren zu ziehen, dass ich dachte, er würde sie sich mitsamt den Wurzeln herausreißen.

»Ruhig, Tom!« Lydia legte ihm eine Hand auf die Schulter und hockte sich neben ihn. »Pssst!«

Aber er sah sie nicht an. Er drehte sich einfach weg und schaukelte weiter.

»Ich bleib noch da, bis du angerufen hast«, fuhr ich fort, »aber dann muss ich wieder nach Hause. Hast du die Telefonnummer?«

Lydia runzelte die Stirn.

»Ich kann mich nicht mal an den Namen des Mädchens erinnern«, gestand sie. »Es war nicht Alice, oder?«

Ich schüttelte den Kopf.

»Mandy«, sagte ich. »Daran erinnere ich mich genau, weil wir mal einen Yorkshireterrier namens Mandy hatten!«

Lydia lachte, wurde aber gleich wieder ernst.

»Ich kenne keine Mandy in ihrer Klasse. Das muss eine Neue sein.«

»Also«, seufzte ich, »hast du auch keine Telefonnummer?«

Lydia schüttelte den Kopf und fing an, im Wohnzimmer auf und ab zu marschieren.

»Wenn ich dieses Mädel zwischen die Finger kriege ...«

Ich wollte mir lieber nicht anhören, was Katie erwartete, wenn sie nach Hause kam, also holte ich das Telefonbuch und drückte es ihr in die Hand.

»Dann ruf die Mutter von Alice an!«, drängte ich. Ich wusste, dass Alice Katies beste Freundin war. Es hatte eine Zeit gegeben, wo die beiden unzertrennlich waren. »Die wird wissen, wo die Party stattfindet.«

Man hätte meinen können, ich hätte gerade ein Mittel gegen das Altwerden entdeckt.

»Geniale Idee!«, rief Lydia, legte das Telefonbuch beiseite und nahm den Hörer ab. »Die Nummer kenn ich auswendig – kein Wunder, so oft, wie sie auf der Telefonrechnung erscheint. 55 65 54.«

Sie drückte auf die Tasten und wartete.

»Besetzt!«, schimpfte sie. »Na, egal, ich bring Tom ins Bett und dann trinken wir einen Schluck und...«

»Ich kann wirklich nicht bleiben, Lydia«, unterbrach ich sie. »Ich muss wieder nach Hause. Wir haben noch nicht mal unseren Nachtisch gegessen.«

Ehrlich gesagt bestand der nur aus ein paar Scheiben Banane und einem Jogurt, aber es war eine gute Ausrede, um wegzukommen.

»Geh nicht!« Sie sah mich bittend an. »Lass uns schnell einen Brandy nehmen und dann...«

»Nein, Lyddy!« Sobald ich das gesagt hatte, bekam ich auch schon Gewissensbisse. Schließlich war ihre Tochter verschwunden und sie war ganz allein mit Tom. Und ich wollte auf keinen Fall, dass sie zur Flasche griff, sobald ich ihr den Rücken zugekehrt hatte.

»Hör mal«, begann ich hastig, »ich laufe schnell heim und serviere Bill seinen Nachtisch, und sobald du Katie erreicht hast, klingelst du kurz bei mir durch, und ich komme noch auf eine Tasse Tee rüber. Was meinst du?«

»Na schön«, sagte Lydia und nickte. »Ich brauch bestimmt was zur Beruhigung, nachdem ich mir Katie vorgeknöpft habe.«

Das bezweifelte ich nicht. Aber zumindest konnte ich, wenn ich noch mal bei ihr vorbeischaute, damit rechnen, dass sie nicht einfach losstürmte, um Katie von der Party abzuholen. Jugendliche hassen es, wenn ihre Mütter so was tun. Das weiß ich, weil ich Gareth einmal aus einer ziemlich zwielichtigen Disko in der Stadt geschleift habe und seine Kumpel ihn damit noch wochenlang aufgezogen.

»Ist Katie wieder da?« Bill sprang vom Stuhl auf, sobald ich die Haustür aufmachte, und war schon im nächsten Moment bei mir. »Ist alles in Ordnung?«

Er ist wirklich ein Lieber. Ich erzählte ihm alles.

»Sie telefoniert jetzt rum«, schloss ich meinen Bericht. »Und ruft mich an, sobald sie sich vergewissert hat, dass Katie auf der Party ist.«

Ich habe ihm nicht gesagt, dass ich nachher noch mal rübergehe. Wahrscheinlich wird er entweder auf dem Dachboden bei seiner Modelleisenbahn sein oder schon im ersten Tiefschlaf vor den Spätnachrichten hocken. Wenn ich Glück habe, kann ich also schnell rüberlaufen und wieder zurückkommen, ohne dass er etwas davon merkt.

Ich hoffe, dass Katie auf der Party keinen Unsinn macht – dass sie sich nicht mit den falschen Leuten einlässt oder sonst was. Heutzutage kann man bei Jugendlichen gar nicht vorsichtig genug sein. Man weiß nie, wie sie sich entwickeln.

Eigentlich ist sie ja ein so liebes Mädel. Und sie hat ein bisschen Spaß verdient.

Katie

Freitag, 29. Juni
20:10 Uhr

*L*aut Joe sind wir fast da. Noch fahren wir durch enge Straßen, wo links und rechts Hecken stehen, und durch kleine Dörfer mit komischen Namen: Twineham, Wineham, Poynings, Fulking. Einerseits kann ich die Ankunft kaum erwarten; ich bin irre müde, meine Augen fallen mir dauernd von selbst zu. Ich will endlich da sein, damit ich mich ins Bett kuscheln und einschlafen kann. Und andererseits will ich irgendwie gar nicht ankommen. Ich bin richtig nervös – was ist, wenn seine Mitbewohner mich nicht mögen? Ich meine, die sind alle in seinem Alter oder sogar noch älter und finden mich vielleicht ätzend, viel zu jung. Joe hat ihnen erzählt, dass ich seine Freundin bin – das ist echt cool, aber wer weiß, ob sie erwarten, dass wir – na ja, miteinander schlafen? Ich liebe Joe wahnsinnig – aber ich habe Angst.

Alice würde sich wahrscheinlich kaputtlachen, wenn sie wüsste, was ich denke. Aber Alice geht schließlich mit Jungs, seit sie zwölf ist. Ich dagegen hatte vor Joe noch nie einen Freund, jedenfalls keinen richtigen. Ich hab zwar schon mit ein paar Typen auf Partys rumgeknutscht, aber immer einen Rückzieher gemacht, wenn sie richtig fummeln wollten. Mit Joe wäre das bestimmt anders, und trotzdem mache ich mir Sorgen, dass ich nicht weiß – nicht wüsste –, was ich tun soll. Wir haben uns natürlich schon geküsst – aber ich bin mir nicht mal sicher, dass ich das richtig hingekriegt habe, weil Joe zwar manchmal echt leidenschaftlich wird, mich dann aber urplötzlich wegschiebt und total dicht-macht. Es ist, als ob ein Teil von ihm mich lieben will und der andere dagegen protestiert.

Genau den Eindruck hatte ich auch heute. Wahrscheinlich lag es daran, dass Joe so angespannt war, nachdem wir in den Land-rover umgestiegen waren. Solange wir durch die Kiesgrube bret-terten und ich bei jeder Mulde oder Pfütze einen Schreier losließ, juxte er noch rum und tat zum Spaß so, als würden die Räder im Matsch durchdrehen und wir säßen fest.

Aber später, als wir wieder auf eine richtige Straße gekommen und etwa zwanzig Minuten gefahren waren, warf er plötzlich einen Blick aufs Armaturenbrett und flippte aus. »Ich fass es ein-fach nicht!« Er schlug mit der Faust aufs Steuer und stieg in die Bremsen. »Dieser verdammte Blödmann! Kann er denn nicht ein einziges Mal was richtig machen?«

»Wer? Was ist los?«, fragte ich nervös.

»Das hier ist los!«, schoss er zurück und tippte mit einem Fin-ger auf die Tankanzeige. »Guck mal hin!«

Ich guckte hin. Der Zeiger schwebte direkt am roten Strich.

»Na toll!«, rief er. »Was zum Teufel soll ich jetzt machen?«

Ich wollte ihn beruhigen. »Keine Sorge – irgendwo in der Nähe gibt es bestimmt eine Tankstelle.«

»Na klar!«, fauchte er. »Und bestimmt gibt es da auch einen oberschlauen Kassierer, der sich an einen ollen Landrover erinnert. Und wenn die Polizei erst mal anfängt, Fragen zu stellen, wird der Mensch sich garantiert auch an ein Mädchen auf dem Beifahrersitz erinnern – ach, warum hat er nicht mal das auf die Reihe gekriegt?«

Er legte den ersten Gang ein und brauste eine schmale, ge-wundene Straße hinab, wobei er das Steuer so fest umklammerte, dass seine Fingerknöchel weiß wurden.

»Ich hab's ihm nicht einmal, sondern tausendmal erklärt...«

»Du hast wem was erklärt?«

»Meinem verfluchten... ach, nichts!« Joe seufzte und wandte sich dann mit einem gequälten Lächeln an mich. »Nur dass mein... der Typ, von dem ich mir diesen Landrover geliehen habe – wir hatten ausgemacht, dass er vorher voll tankt.«

»Klar«, murmelte ich, und dann kam mir ein Gedanke. »Dieser Typ – dein Kumpel – wird uns doch nicht verpfeifen, oder? Ich meine, du kannst ihm doch vertrauen?«

Joe lehnte sich zurück und brach in lautes Gelächter aus. Ich freute mich, dass er wieder bessere Laune bekam, verstand aber nicht, was an meiner Frage so komisch sein sollte.

»Glaub mir«, kicherte er, »der wird keinem Menschen einen Ton sagen. Er ist genauso scharf wie ich darauf, dass das hier klappt.«

»Was...?«, begann ich.

»Hey, jetzt mach doch nicht so ein besorgtes Gesicht!«, sagte er und nahm meine Hand. »Ich musste ihm ein bisschen von dir erzählen – um zu erklären, wozu ich den Landrover brauche. Er konnte nicht glauben, was deine Mutter getan hat, und meinte, er würde sonst was tun, um uns zu helfen.«

Er ließ meine Hand los und steuerte den Wagen um eine scharfe Kurve und auf eine doppelspurige Schnellstraße.

»Wo wir schon so weit gekommen sind, können wir es nicht riskieren, die Sache zu vermasseln«, fuhr er fort. »Sobald wir eine Tankstelle sehen, musst du dich auf den Boden legen, am besten unter einen von den Schlafsäcken hintendrin.«

Er deutete mit dem Kopf über die Schulter. Ich konnte mir nicht vorstellen, wo ich mich da hinhocken sollte, vom Hinlegen ganz zu schweigen. Die gesamte Ladefläche war voll mit Holzscheiten, Abschleppseilen, Lebensmittelkartons und einem orange-schwarzen Werkzeugkasten, genau wie Dad einen gehabt hatte – und den ich als Kind immer aufräumen durfte.

Bei der Erinnerung schossen mir Tränen in die Augen, wie so

107

oft, wenn ich plötzlich an die Vergangenheit denken muss, aber ich wollte nicht, dass Joe mich für eine Heulsuse hielt, also drehte ich den Kopf weg und schaute aus dem Fenster. »Hey, guck mal!« Ich packte Joe am Ärmel. »Da ist ein Schild – Tankstelle 4 Meilen.« Ich deutete darauf.

»Gott sei Dank!«, ächzte Joe und warf dann einen nervösen Blick auf das Armaturenbrett. »Hoffentlich schaffen wir's bis dahin.«

Kurz vor der Abfahrt zur Tankstelle befahl Joe mir, mich hinter die Sitze unter einen Schlafsack zu legen.

»Ich allein bin unauffällig«, erklärte er, »aber wenn deine Mutter bei der Polizei angerufen hat und jemand dich sieht...«

Er ließ den restlichen Satz in der Luft hängen.

»Das hat sie garantiert nicht«, versicherte ich ihm, während ich hinten umräumte, mich hinlegte und mir den Schlafsack über den Kopf zog.

»Wieso eigentlich nicht? Mittlerweile dürfte sie doch wohl Schiss kriegen, oder?«

»Sie wird denken, dass ich zu Mandys Party gegangen bin«, sagte ich und lupfte dabei den Schlafsack ein Stück, um besser gegen den Motorlärm anbrüllen zu können. »Sie wird ausflippen und ein paar Türen knallen und sich dann einen Brandy eingießen und damit hat sich's zumindest bis morgen früh.«

»Aber dann wird sie doch wohl ausflippen, oder?« Joes Stimme überschlug sich fast. »Wie jede anständige Mutter, die sich verrückt macht vor Sorgen – sie wird nicht essen können, nicht schlafen können und so weiter?«

Ehrlich gesagt hoffte ich es. Ich meine, schließlich ist das doch der Sinn der ganzen Veranstaltung: dass Mum endlich erkennt, wie sehr sie mich liebt, wie viel ich ihr bedeute. Aber eigentlich machte ich mir mehr Sorgen um Tom. Ich wusste, dass er sich echt aufregen würde: Alles, was seine Routine durcheinander bringt, erschreckt ihn, und sobald er gemerkt hätte, dass ich nicht da bin, würde er höchstwahrscheinlich einen Rappel kriegen, brüllen, Sachen in der Gegend rumschmeißen und sich weigern zu essen.

»Runter mit dir!« Joes Kommando riss mich aus den Gedanken. »Wir fahren gleich bei den Zapfsäulen vor – oh Gott!«

Bevor ich ihn fragen konnte, was los war, wurde ich gegen die Seite des Landrovers geschleudert, weil Joe in vollem Karacho kehrt machte.

»Was ist denn?«

Ich streckte den Kopf unter dem Schlafsack vor.

»Bleib unten!«, rief Joe. »Deine Mutter würde also nicht die Polizei anrufen, ja? Und wieso steht dann bitte ein Streifenwagen an der Tankstelle?«

Einen Moment lang blieb mir echt das Herz stehen. Sie durften uns noch nicht auf der Spur sein – Mum hatte ja noch nicht mal Zeit gehabt, über alles nachzudenken, was sie zu mir gesagt und mir angetan hatte, die Zeit, um sich klar zu machen, dass sie sich ändern musste. Aber wenn sie nun doch schon die Polizei angerufen hatte, dann nur aus dem Grund, weil ich ihr eben doch wichtiger war als ihr Ruf und alles andere. Ich wusste ja, was sie von Polizisten hielt.

Plötzlich wurde mir klar, wie blödsinnig mein Gedankengang war. Wieso sollte die Polizei – wenn überhaupt – ausgerechnet in dieser Ecke von Sussex nach uns fahnden?

»Auch Streifenwagen brauchen mal Benzin«, rief ich zu Joe nach vorn. »Du willst mir doch wohl nicht erzählen, die hätten gerochen, dass wir uns von allen Tanken zwischen Hartfield und hier gerade die hier aussuchen würden? Jetzt komm mal wieder auf den Teppich!«

Darauf folgte ein langes Schweigen.

»Und wenn's dir nichts ausmacht – ich würde mich ganz gern wieder hinsetzen. Dieser Schlafsack stinkt!«

»Okay«, murmelte Joe. »Wahrscheinlich hast du Recht – ich hab einfach panisch reagiert. Aber wir kommen nicht mehr weit – der Tank ist praktisch leer.«

Ich rappelte mich hoch und spähte aus dem Fenster.

»Bieg in die Seitenstraße da vorn ein«, schlug ich vor. »Dort können wir kurz halten und zurückfahren, sobald die Bullen verschwunden sind.«

Joe sah mich scharf an und nickte dann langsam.

»Gute Idee«, meinte er. »Aber zur Sicherheit…«

Er beendete den Satz nicht, weil in diesem Moment ein hohes Gedudel losging.

»Verdammte Scheiße!« Er stieg in die Bremsen und schnappte sich seine Jacke vom Rücksitz. »Ich dachte, ich hätte das Ding ausgeschaltet!«

Er nahm sein Handy und drückte auf die OK-Taste.

»Ja. Nein, es geht verdammt noch mal nicht alles nach Plan. Was? Ich kann jetzt nicht reden. Ich melde mich später.«

Er drückte auf eine andere Taste und warf das Handy zurück auf den Rücksitz.

»Wer war das denn?«

»Was? Ach so – der Typ, der mir den Wagen geliehen hat. Er wollte wissen, ob alles okay läuft. Ich werd's ihm später erklären.«

Er fuhr ein Stück weiter die Seitenstraße entlang und bog auf einen Parkplatz.

»Na komm, zur Sicherheit steigen wir aus und machen einen kleinen Spaziergang. Nur für den Fall, dass die Bullen uns gefolgt sind. Okay?«

Aber wir gingen nicht besonders weit. Wir kletterten über einen Zaun und marschierten einen Feldweg entlang, bis wir zu einem hohen Gebüsch aus Stechginster kamen. Joe zog mich hinter das Dickicht, drehte sich dann plötzlich um und nahm mein Gesicht in seine Hände.

»Du bist unheimlich hübsch«, flüsterte er, fuhr mit einem Finger über mein Kinn und dann hoch bis zum Ohr. »Das macht es echt schwer...«

Mein Körper fing an zu kribbeln, wie ich das noch nie erlebt hatte.

»Aber warum?«, flüsterte ich. »Warum ist es schwer?«

»Ich kann dich doch nicht...«

Er ließ die Hand fallen und wandte sich ab.

»Doch, das kannst du«, platzte ich heraus und hätte mir am liebsten gleich auf die Zunge gebissen. Ich wusste nicht, was er wollte, hatte aber eine ungefähre Vorstellung davon. Was ich wollte, war ein langer Kuss, eine ewig dauernde Umarmung, dass er mir mit den Fingern durchs Haar strich. Was ich dagegen nicht wollte, waren seine urplötzlichen, unvorhersehbaren Stimmungsumschwünge.

Dann ging alles ganz schnell. Er drehte sich wieder zu mir und zog mich an sich. Seine Lippen legten sich auf meine und er küsste mich fest, zu fest. Sein Mund wanderte meinen Hals runter und wieder hoch und dann schob er mich zu Boden und kniete sich neben mich.

»Warum musst du bloß so hübsch sein?«, stöhnte er und fuhr mir mit einer Hand über den Oberschenkel. Er beugte sich zu mir und küsste mich wieder, diesmal aber sanft, so sanft, dass ich komischerweise ganz ruhig und mutig wurde und meine Hände wie von selbst seinen Nacken streichelten, seinen Rücken. Ich fühlte mich aufgehoben, geliebt, fast wie eine erwachsene Frau.

Doch dann packte er meinen Arm und stieß mich weg.

»Hör auf! Mach das nicht mit mir!«

»Was denn? Was hab ich denn falsch gemacht?« Ich hätte fast losgeheult.

»Nichts – alles – jetzt komm schon, wir müssen tanken.«

Er drehte sich um und ging mit großen Schritten vor mir her, zurück zum Landrover. Wieder musste ich mich hinten unter dem Schlafsack verstecken, aber es war mir egal. Selbst der Gestank machte mir nichts aus, denn dadrunter konnte ich zumindest die Tränen laufen lassen. Plötzlich bekam ich Heimweh. Ich wollte wieder in meinem Zimmer sein, Tom nebenan herumpütschern hören. Ich wollte Alice anrufen und mit ihr über Liebe und Jungs und Sex reden und so tun, als würde ich mich da schon auskennen. Ich wünschte, ich hätte mich nie auf dieses Abenteuer eingelassen.

Natürlich hielt das Gefühl nicht lange. Wir tankten und Joe kaufte zwei Käsebrötchen und Mars-Riegel und ein paar Dosen Cola und wir ließen es uns auf den letzten Meilen so richtig gut gehen. Und jetzt sind wir praktisch da.

Ich sehe Joe an. Er scheint mit den Gedanken ganz woanders zu sein, denn er beißt sich andauernd auf die Lippen und kaut immer wieder an seinem Daumennagel. Ich kann nur hoffen, dass ich ihn nicht enttäuscht habe, dass er nicht denkt, ich wäre kalt oder frigide.

»Da wären wir!«

Joe reißt das Steuer herum und der Landrover macht einen regelrechten Satz von der Straße auf einen Feldweg voll tiefer Furchen. Ein Holzschild weist in Richtung der »Foxhole Farm«, aber es ist so verwittert und verschimmelt, dass man die Buchstaben kaum noch erkennen kann. Mein Herz klopft aufgeregt, halb vor Freude, halb aus Nervosität.

Ich spähe durch die Windschutzscheibe, aber keine Farm kommt in Sicht, nur ein Häuschen, vielmehr eine halb verfallene Hütte. Die Fenster sind mit Brettern vernagelt und zwischen den Dachschindeln wächst Gras.

Zu meinem Erstaunen hält Joe direkt vor dieser Bruchbude und stellt den Motor ab.

»Also – hüpf raus!« Sein Gesicht leuchtet vor Aufregung, während er über mich hinweggreift und die Beifahrertür aufschiebt. »Hier übernachten wir.«

»Das ist doch wohl nicht die Farm!«

»Nein, nein«, sagt er ganz ruhig. »Aber ich muss schließlich erst drüben die Lage checken, bevor wir dort aufkreuzen – wir wollen ja kein Risiko eingehen. Das erledige ich morgen früh. Wegen dem Tanken und allem haben wir uns ganz schön verspätet.«

Er nimmt meine Reisetasche und gibt mir einen sanften Schubs in Richtung Hüttentür, die er mit dem Fuß auftritt. Dann zieht er mich nach drinnen und lässt die Tasche auf das abgeschabte Linoleum fallen.

»Joe, hier können wir nicht bleiben! Das ist ätzend! Guck doch bloß mal!«

Spinnweben hängen von der Decke, und im Halbdunkel meine ich, auf dem verschossenen, halb zerfetzten Teppich in der Mitte des Raumes etwas zu erkennen, das wie Mäusedreck aussieht. In einer Ecke steht ein durchgesessenes Sofa, bei dem schon die Füllung rausquillt, und in einer anderen ein alter Tisch mit einer mindestens genauso alten Wachstuchdecke. Eine einsame Glühbirne baumelt von der Decke, doch als ich auf den Schalter an der Tür drücke, tut sich gar nichts.

»Es ist doch nur für eine Nacht!«, versichert Joe mir und drückt kurz meine Hand. »Na komm, wir zünden ein paar Kerzen an!«

Er wühlt in seiner Jackentasche herum und zieht eine Schachtel Streichhölzer und drei Kerzen heraus.

»Warte!« Er läuft eilig zum Landrover zurück und kommt mit drei leeren Coladosen zurück.

»So wird's gehen«, sagt er eifrig, quetscht die Kerzen in die Dosenlöcher und zündet sie an.

Das flackernde Licht macht den wahren Horror dieser Bretterbude erst so richtig deutlich.

»Joe, das ist nicht zum Aushalten!« Jetzt weine ich und es ist mir sogar egal. Er wird doch wohl nicht erwarten, dass ich hier auch nur eine Nacht verbringe. »Wenn wir nicht auf die Farm können, dann lass uns wenigstens im Landrover schlafen – egal wo, bloß nicht hier!«

»Mit Heulen kommst du auch nicht weiter!«

Joes Stimme klingt so scharf, dass ich nach Luft schnappe.

»Tut mir Leid, Süße, tut mir Leid«, sagt er hastig und legt mir einen Arm um die Schulter. »Ich wollte dich nicht anschnauzen – ich bin bloß müde nach der ganzen Fahrerei. Aber lass uns vernünftig sein – was ist, wenn einer von meinen Farmmitbewohnern ein paar Biere zu viel im Pub gekippt hat und jetzt überall rumlabert, dass du zu Besuch kommst? Ich muss doch auf dich aufpassen.«

Er gibt mir ein Küsschen auf die Nase, fasst mich an der Hand und führt mich zurück zur Tür.

»Wenn du unbedingt im Landrover schlafen willst, dann soll's mir auch recht sein«, seufzt er. »Aber erst mal hab ich eine Überraschung für dich.«

Zum zweiten Mal läuft er zum Wagen raus und kommt mit einem von diesen blauen Campinggaskochern und einem Pappkarton zurück.

»Suppe!«, ruft er. »Und Spagetti! Du hast mir doch mal erzählt, Spagetti wäre dein Lieblingsessen! Bevor wir ins Bett gehen, machen wir noch ein richtiges Picknick. Na komm schon, ich will dich lächeln sehen!«

Ich weiß, dass er sich alle Mühe gibt, nett zu sein, und trotzdem habe ich plötzlich Angst.

Ich weiß, dass es albern ist. Aber ich will nicht mit Joe zusammen schlafen gehen.

Ich will überhaupt nicht hier sein.

Ich will nichts weiter als auf der Farm ankommen und die anderen Leute kennen lernen und ein richtiges Bett zum Schlafen haben. Allein.

Noch vor einer Woche fand ich die Idee abzuhauen einfach genial. Jetzt bin ich mir da nicht mehr so sicher.

»Also, wo ist das Farmhaus?«, höre ich mich fragen.

Vielleicht kann ich ihn doch überreden, das Risiko einzugehen und gleich dort hinzufahren.

»Och, gar nicht weit – da drüben«, sagt er und wedelt kurz in die Richtung eines kleinen Wäldchens.

»Und können wir wirklich nicht...«

»Nein! Ich hab's dir doch schon erklärt – der Plan steht. Du musst mir vertrauen. Na los – trink einen Schluck!«

Er reicht mir eine offene Dose Red Bull.

Ich hätte zwar lieber eine Pepsi, aber ich will nicht mäkelig erscheinen.

»Cool!« Ich lächle und nehme einen großen Schluck. Das Zeug schmeckt fies. Ich lasse mir nichts anmerken.

»Wie sieht's aus – willst du jetzt was essen?«, fragt Joe.

»Okay«, antworte ich. »Aber zuerst muss ich aufs Klo. Wo ist es denn?«

Joe zuckt die Achseln.

»Ich würde mal sagen, hinter dem nächsten Busch«, murmelt er.

»Soll das heißen, dass... dass es kein richtiges Klo gibt? Joe, ich kann echt nicht einfach...«

»Entweder das oder gar nichts!« Joe verzieht gereizt das Gesicht. »Und beeil dich gefälligst!«

Ich will nach Hause.

Okay, es ist nicht der Hit zu Hause, aber zumindest ist es dort sauber, und ich weiß, was ich zu erwarten habe. Und wenn es brenzlig wird, kann ich mich immer noch in meinem Zimmer ein-schließen, bis Mum sich abgeregt hat.

Jetzt wo ich in diesem gruseligen Schuppen festsitze, kommt mir mein Zuhause fast wie das Paradies vor.

Lydia

Freitag, 29. Juni
21:45 Uhr

So eine hochnäsige Person, diese Mutter von Alice! Redet mit mir, als wäre ich der letzte Abschaum.

»Wir haben gerade Gäste«, hat sie gezwitschert, als ich meinen Namen nannte. »Könnte ich Sie vielleicht morgen zurückrufen?«

»Nein, das können Sie nicht!«, fuhr ich sie an. Okay, ich weiß, dass ich nicht in dem Ton mit ihr hätte sprechen dürfen, aber ich hatte mir gerade einen regelrechten Kampf mit Tom geliefert und jetzt wollte mich diese Frau nicht mal zu Wort kommen lassen. »Katie ist verschwunden!«

Das wirkte dann doch.

»Verschwunden?«, fragte sie in ihrem gezierten Ton. »Was soll das heißen – verschwunden?«

»Sie ist nicht von der Schule heimgekommen, und ich bin mir ziemlich sicher, dass sie zu dieser Mandy Sowieso gegangen ist – zu der Pyjamaparty.«

»Ach so, ja! Also, Alice ist dort, aber…«

»Aber was?«

»Aber Alice hat mir erzählt, Katie dürfte nicht mit. Alice war deswegen ziemlich aufgebracht – sie fand es ehrlich gesagt gemein von Ihnen, aber ich habe ihr natürlich klar gemacht, dass uns das nichts angeht und…«

»Ganz recht!«, fauchte ich. Es ging sie wirklich nichts an, aber dieses verdammte Weib tat, als wäre ich eine böse Hexe.

Deswegen redete ich schnell weiter. »Ich glaube, dass mein reizendes Töchterchen trotzdem dorthin gegangen ist, obwohl ich es ihr ausdrücklich verboten hatte, und deshalb muss ich dringend mit ihr sprechen. Haben Sie vielleicht die Telefonnummer von dieser...«

»Haben Sie sie denn nicht?«

»Na, wenn ich sie hätte, würde ich Sie ja wohl kaum darum bitten«, schoss ich zurück. »Wenn Sie also...«

»Moment – ich schau mal nach, ob ich sie auf die Schnelle finde.«

Es klapperte, als sie den Hörer auf die Seite legte, und dann hörte ich im Hintergrund laute Stimmen und Gekicher.

»Katies Mutter... durchgedreht... kein Wunder... dass die nicht mal weiß... manche Mütter – war ja schon immer seltsam!«

Als wäre es meine Schuld, dass Katie so ein falsches Luder ist. Ja, wenn die feine Dame in meiner Haut stecken würde, wäre sie bestimmt genauso durchgedreht. Aber was weiß sie denn schon vom Leben – sie mit ihrem stinkfeinen Ehemann, dem Börsenmakler, ihrem edlen Landhausherd und dem Whirlpool im Wintergarten.

»Da haben wir's ja!« Sie kam wieder ans Telefon, mit hauchzarter, aber triumphierender Stimme. »Mandy Russell, 18 The Birches, Frampton. Die Nummer ist 0 16 04 / 41 13 24. Aber jetzt muss ich wirklich – sonst fällt mir mein Soufflee noch zusammen.«

Im selben Moment war die Leitung schon tot.

Ich werde sofort anrufen und meiner Tochter Bescheid stoßen. 41 13 24. Es klingelt. Na komm schon, komm schon – ich wette, die Mädchen haben die Musik bis zum Anschlag aufgedreht und können das Telefon nicht hören.

Na, dann gieß ich mir schnell einen Schluck ein und probier's in ein paar Minuten noch einmal.

Ich hoffe nur, dass sie dort ist. Ich meine, auch wenn mich das natürlich stinkwütend machen wird – Hauptsache, ich weiß, dass ihr nichts passiert ist. Aber was tue ich, wenn sie nicht dort ist? Wenn sie einen Unfall gehabt hat?

Nein, das ist doch albern. Nur nicht nervös werden. Der Brandy wird mich beruhigen. Wie immer. Nur ein Schlückchen nachgeschenkt, und dann rufe ich noch einmal unter der Nummer an.

»Eines Tages gehe ich aus dieser Tür und komme nie, nie mehr wieder.«

Das hat Katie gesagt – erst vor ein paar Tagen, nachdem wir diesen fürchterlichen Streit gehabt hatten. Und wenn sie es tatsächlich ernst gemeint hat? Wenn sie tatsächlich abgehauen ist, genau wie ich vor all den Jahren?

Aber nein – das ist doch lächerlich. Kinder drohen immer damit, wegzulaufen, nicht? Außerdem – wo sollte sie schon hin? Sie schätzt doch ihr Zuhause mit all seinen Annehmlichkeiten. Sie ist nicht der Typ, der durch die Straßen stromert. Nein, sie wird zu dieser Party gegangen sein, da bin ich mir sicher.

Verdammt noch mal! Jetzt macht Tom schon wieder Krach. Den ganzen Abend war er schon unruhig. Ich habe versucht, ihn mit seinem Puzzle zu trösten, doch das hat nicht funktioniert, und als ich ihm seine Malstifte und ein paar Blatt Papier gab, hat er nur wieder lauter Mülleimer und schwarze Müllsäcke draufgekrakelt.

»Mal doch irgendwas Hübsches, Tom«, sagte ich, aber das war natürlich ganz falsch. Er fing sofort an, zu schreien und um sich zu treten, als wäre er von allen guten Geistern verlassen.

Ich werde ihm heute eine starke Dosis Beruhigungsmittel geben, denn noch mehr Theater kann ich jetzt weiß Gott nicht verkraften.

Nur noch einen Schluck, dann spring ich zu Tom rauf und anschließend versuch ich es noch einmal bei der Nummer.

Wahre Ruhe ist einem wohl erst im Grab beschieden.

Katie

Freitag, 29. Juni
22:10 Uhr

*I*ch fühle mich schon viel besser, irgendwie gelöst und ziemlich duselig. Dieser Red Bull schmeckt echt okay, sobald man sich daran gewöhnt hat – je mehr man davon trinkt, desto besser wird er. Ich kann gar nicht mehr begreifen, dass ich so ein Schisshase gewesen bin – schließlich ist es ja nur für eine Nacht und, wie Joe sagt, wenn sie uns jetzt schnappen würden, wäre das die volle Katastrophe.

»Stell dir doch bloß mal vor«, sagte er, als er die Suppe warm machte, »du würdest jetzt wieder nach Hause geschleift. Deine Mutter hätte nicht mal Zeit genug gehabt, um sich Sorgen zu machen, sie hätte nicht eine einzige Frage auf der Polizeiwache beantworten müssen ... also nicht eine Sekunde lang gelitten. Aber schlechte Mütter muss man leiden lassen.«

Er rührte die Suppe so wild um, dass sie über den Rand des Kochtopfs spritzte und die Flamme zischte.

»So eine schlechte Mutter ist sie auch wieder nicht«, erwiderte ich schnell. »Mit Tom gibt sie sich echt Mühe. Er ist ziemlich schwierig und sie ...«

»Dein Tom interessiert mich einen Scheißdreck«, schrie er plötzlich, riss sich dann aber gleich wieder zusammen, streckte einen Arm zu mir aus und tätschelte meine Schulter. »*Du* bist diejenige, die mich interessiert.«

»Jedenfalls kann sie manchmal auch richtig lieb zu mir sein.«

Ich weiß selbst nicht, was mich dazu brachte, sie zu verteidigen. Mir war irgendwie nicht wohl dabei, dass Joe sie so runtermachte. Und an dieser Stelle hatte ich noch mal ein bisschen Heimweh.

»Na klar! So lieb, dass sie ihr eigenes Kind verstoßen hat und...«

»Sie hat mich doch gar nicht verstoßen! Es ist bloß, dass sie – na ja, dass sie sich manchmal besäuft und dann Sachen sagt, die sie nicht so meint und...«

»Und eine total widerliche Type ist!«

Er klatschte die Suppe in zwei Plastikbecher und zog den Ringverschluss der Spagettidose auf.

Ich wollte ihm schon sagen, dass sie erst seit dem Tod meines Vaters so ätzend geworden war. Manchmal denke ich, wenn Dad im Krankenhaus gestorben oder von einem Auto überfahren worden wäre, dann hätte sie das besser verkraftet. Aber dass er gerade auf die Art gestorben ist...

»Wie war deine Mutter eigentlich?«, fragte ich, während ich auf meine Suppe pustete und versuchte, jeden Gedanken an Dad zu verdrängen. Joe hatte mir erzählt, dass sie tot war, aber wann immer ich nach ihr oder seiner Familie fragte, wechselte er gleich das Thema.

»Ich meine, du musst es mir nicht erzählen, wenn du nicht willst, aber...«

Joe starrte mich an und dann wurde sein Gesicht weich.

»Meine Mum war hübsch«, sagte er. »Echt hübsch.«

Er nahm mein Kinn in die Hände und beugte sich zu mir runter.

»Du siehst ihr ein bisschen ähnlich«, fügte er leise hinzu. »Die gleichen Haare, die gleichen runden Wangen...«

Er kniff mich zum Spaß in die rechte Wange. Jedenfalls hoffe ich, dass es Spaß war, denn es tat ehrlich gesagt ziemlich weh.

»Hast du deine unterschiedlichen Augen eigentlich von ihr?«, fragte ich, während ich einen Schritt zurücktrat. »Ich hab keinen blassen Schimmer, woher ich meine habe.«

Unsere Augen hatte ich noch nie erwähnt – als Kind hatte ich meine gehasst, und ich dachte, Joe wäre es vielleicht genauso gegangen.

»Ich habe nichts von ihr geerbt, Gott sei Dank«, entgegnete er scharf. Seine Laune hatte schon wieder jäh gewechselt. »Sie mag ja hübsch gewesen sein, aber sie war auch echt gemein! Das Kinderkriegen hat sie verdorben!«

»Was?«

»So was kommt vor«, sagte er und nahm einen Schluck von seiner Suppe. »Wahrscheinlich verdirbt es auch dich innerlich, wenn du Kinder kriegst. *Falls* du welche kriegst. Was du hoffentlich bleiben lassen wirst.«

»Wie kannst du bloß so was sagen?«

Ich konnte mich nicht bremsen. Es rutschte mir einfach so raus. Okay, das klingt vielleicht albern, aber in letzter Zeit hatte ich so eine Art Tagtraum, dass Joe und ich irgendwann heiraten und eine Familie gründen. Und jetzt redete er, als würden alle Frauen, die Kinder kriegen, zu schrecklichen Müttern werden.

Sogar ich.

»Entschuldige, Katie!« Er stellte seinen Becher ab und nahm mich wieder in den Arm. »Das hab ich nicht so gemeint!«

Er seufzte.

»Ich werd einfach nur so wütend, wenn ich daran denke, was sie getan hat.«

»Deine Mutter?«

»Ja – nein, wir reden doch von deiner, Mensch. Was sie dir angetan hat. Erst vor ein paar Tagen.«

Er küsste mich aufs Kinn.

»Entschuldige«, sagte er noch einmal.

»Ist schon okay«, erwiderte ich, obwohl ich ehrlich gesagt immer noch ein bisschen durcheinander bin. Er scheint wegen nichts auszurasten, genau wie Mum. Was natürlich nicht heißen soll, dass er ihr auch nur im Entferntesten ähnlich wäre. Wahrscheinlich ist er nach dem langen Tag einfach nur total gestresst.

»Deine Mutter ist gestorben, oder?«, fragte ich leise. »Magst du mir davon erzählen?«

Kaum hatte ich den Satz ausgesprochen, sah ich, wie er dunkelrot anlief, die Fäuste ballte und sich von mir abwandte.

»Sie ist aus dem Haus gegangen und dann – dann war sie tot.«

Seine Stimme klang ausdruckslos, und ich merkte, wie seine Schultern sich verspannten.

»Am nächsten Tag kam mein Dad an und erklärte mir: ›Hör zu, Junge, deine Mutter ist fort und gestorben‹ – und das war's.«

Er nagte an einem Fingernagel.

»Das ist ja furchtbar«, murmelte ich und strich ihm über den Arm, aber er schüttelte mich mit einem Achselzucken ab. Es muss schlimm genug für ihn gewesen sein zu erfahren, dass seine Mutter nicht mehr lebte – aber dann noch auf eine so herzlose Art. Der Arme.

»Ja, das stimmt. Furchtbar.«

Er blieb einen Moment reglos stehen und schaute dann wieder zu mir herüber.

»Ich hol uns noch was zu trinken aus dem Landrover«, sagte er. Sein Gesicht war nach wie vor ausdruckslos.

Ich beobachtete, wie er langsam zum Wagen ging, sich dabei die Hände in die Jeanstaschen schob. Wie gerne wäre ich hinter ihm hergelaufen, um ihn zu umarmen und ihm zu sagen, wie gut ich es verstehen konnte, dass er seine Mutter vermisste, und dass er mir von ihr erzählen sollte – aber mir drehte sich der Kopf. Meine Beine waren wie aus Gummi.

Vor ein paar Minuten ist er zurückgekommen und macht jetzt schon einen viel fröhlicheren Eindruck.

»Hier!« Er reicht mir noch eine Dose Red Bull. Ich nehme ein paar Schluck, aber eigentlich kann ich nichts mehr trinken. Meine Augenlider sind so schwer. Ich möchte nur noch schlafen. Ich kann gar nicht mehr aufhören zu gähnen.

»Ich bin wahnsinnig müde!« Schon das Sprechen macht mir Mühe. Meine Zunge fühlt sich geschwollen an und alles verschwimmt mir vor den Augen.

»Das ist gut!«

Jetzt breitet Joe die Schlafsäcke aus und stapelt alle möglichen Kissen auf.

»Na komm!« Er winkt mir. Ich will mich nicht zu ihm legen, aber ich muss schlafen. Meine Beine sind bleischwer und ich kann kaum noch gehen.

»Jetzt hab ich dich!«

Joe packt mich am Arm, und ich merke, wie ich auf den Fußboden runtergezogen werde. Die Kissen sind so weich und mein Kopf ist der reinste Wackelpudding.

Ich kann nicht länger wach bleiben.

Hoffentlich kann Tom schlafen. Ich habe ihn angelogen.

Ich wünschte, das hätte ich nicht getan...

Grace

Samstag, 30. Juni
0:45 Uhr

*E*s nützt nichts, ich kann sowieso nicht schlafen. Ich werde aufstehen und mir was Warmes zu trinken machen müssen, denn wenn ich mich weiter so rumwälze, wecke ich noch Bill auf, und dann wird er bestimmt grantig.

Ich hätte darauf bestehen müssen. Das wird mir jetzt klar. Ich hätte Lydia dazu bringen müssen, die Polizei zu verständigen. Eigentlich hätte sie ja von sich aus darauf kommen können. Katie ist erst fünfzehn, und wenn Kinder in das Alter kommen, kann man nicht vorsichtig genug sein.

»Hast du diese Mandy angerufen?«, fragte ich sie, als ich später, wie versprochen, noch mal bei ihr vorbeischaute. »Hat sich die Sache aufgeklärt?«

Lydia schüttelte den Kopf.

»Ich hatte alle Hände voll mit Tom zu tun«, sagte sie. »Er ist gerade erst eingeschlafen, und das auch nur mit einer doppelten Dosis Beruhigungsmittel.«

So wie sie durch den Flur zur Küche schlurfte, war mir klar, dass auch sie die doppelte Dosis von irgendwas zu sich genommen hatte – wovon, war eigentlich klar.

»Trinkst du einen Schluck mit mir?« Sie lächelte mich unsicher an.

»Ja, gern, eine Tasse Tee«, erwiderte ich resolut. »Aber zuerst rufst du bei dem Mädchen an.«

Ich ging zum Telefon, nahm den Hörer und drückte ihn ihr in die Hand.

»Okay, okay«, seufzte sie, gab die Nummer ein und trommelte ungeduldig auf das Tischchen.

»Es geht wieder keiner ran!« Sie knallte den Hörer auf.

»Aber das gibt's doch nicht!«, protestierte ich. »Ich meine, die feiern eine Party...«

»Bei lauter Musik!«, erwiderte Lydia und drehte schon den Verschluss von einer neuen Flasche Brandy auf. »Du verstehst wirklich nicht viel von Teenagern.«

Das versetzte mir einen Stich, aber ich ließ mir nichts anmerken.

»Ja, müssten denn dann nicht die Eltern ans Telefon kommen?«

»Die sind wahrscheinlich ausgegangen«, meinte Lydia.

»Ausgegangen?«, platzte es unwillkürlich aus mir heraus. »Welche Eltern gehen aus, wenn sie eine Horde Teenager im Haus haben?«

Lydia zuckte nur die Achseln.

»Nicht alle Mütter sind so fürsorglich wie ich«, seufzte sie. »Und trotzdem gibt es keinen Grund, sich unnötig Sorgen zu machen. Aber ich kann dir versprechen, dass sie von mir morgen ganz schön was zu hören kriegt.«

Ich versuchte, vernünftig mit ihr zu reden, doch sie schien das Ganze jetzt eher auf die leichte Schulter zu nehmen. Wahrscheinlich weil sie getrunken hatte. Es heißt ja, dass Alkohol das logische Denkvermögen beeinträchtigt.

Ich trank eine Tasse Tee, sie auch. Nur dass sie ihre mit einem Schuss Brandy aufstockte.

Und jetzt finde ich vor lauter Sorge um Katie keinen Schlaf. Was, wenn sie mit ihren Schulkameraden in irgendeinen Klub gegangen ist? Was, wenn dort jemand Drogen verteilt hat und sie...?

Hör auf damit, Grace, du dumme Alte. Deine Fantasie geht mal wieder mit dir durch. Trink deinen heißen Kakao und versuch, noch eine Runde zu schlafen.

Wie Bill sagt: Es ist nicht dein Problem.

Bloß macht man sich natürlich trotzdem Sorgen. Sie ist ein so liebes Mädchen, unsere Katie, aber was weiß man heutzutage schon von der Jugend.

Lydia

Samstag, 30. Juni
12:00 Uhr

Sie ist weg. Oh Gott, sie ist wirklich weg.

Sie hat es tatsächlich getan.

Sie ist weggelaufen.

Und das ist allein meine Schuld.

Ich muss ruhig bleiben, scharf nachdenken.

Wie gehe ich am besten vor?

Eigentlich brauchte ich jetzt einen Drink, aber Grace meint, Kaffee wäre am besten, und ich habe nicht die Kraft, ihr zu widersprechen.

Als das Telefon heute Morgen klingelte, während ich noch den Frühstückstisch abräumte, kam ich gar nicht auf die Idee, dass es jemand anders als Katie sein könnte. Ich war mir so sicher, dass ich den Hörer hochriss und sofort loslegte.

»Und wo hast du dich bitte schön die ganze Nacht rumgetrieben, mein Fräulein? Wie kannst du es wagen, entgegen meinem ausdrücklichen Verbot – das gibt ein Nachspiel, Katie Fordyce!«

»Hier ist nicht Katie, Mrs Fordyce. Ich bin Alice. Ist Katie denn nicht da?«

»Nein, ist sie nicht! Wahrscheinlich treibt sie sich immer noch bei dieser Mandy rum und…«

»Das kann nicht sein. Sie war gar nicht bei der Party!«, unterbrach mich Alice.

Plötzlich drehte sich alles um mich herum.

»Sie war nicht da?« Ich musste mich am Flurtischchen festhalten, sonst wäre ich bestimmt umgekippt.

»Nein«, beteuerte Alice. »Sie hat mir am Donnerstag gesagt, dass sie nicht kommen dürfte, und als sie dann gestern auch nicht in der Schule war...«

Mir war, als würde mir der Boden unter den Füßen weggezogen.

»Nicht in der Schule? Katie war gestern nicht in der Schule?«

»Also ist sie gar nicht krank? Ich dachte nämlich...«

»OH GOTT!« Es dauerte ein paar Sekunden, bevor mir klar wurde, dass ich es war, die da schrie. Ich knallte den Hörer hin und ließ mich auf die unterste Treppenstufe plumpsen.

»Katie, Katie, wo bist du?«

Ich zitterte wie Espenlaub und konnte nicht aufhören zu weinen.

Ich muss wohl nicht betonen, dass Tom ausflippte. Er kam stöhnend und jaulend aus der Küche und zupfte an meinem Ärmel. Sein kleines Gesicht war verkniffen vor Angst.

»Alles in Ordnung, Tom«, sagte ich automatisch, während ich mich hochhievte und ihn zum Küchentisch zurückbrachte. »Alles wird gut. Wir finden Katie schon wieder.«

Daraufhin marschierte er los, quer durch die Küche, riss die Schublade unter der Spüle auf und schmiss alles auf den Fußboden – Staubtücher, Dosen mit Möbelpolitur, die Müllschippe, einen Eimer, sonst was. Normalerweise hätte ich mich bemüht, aus dem allem ein Spiel zu machen, ihn dazu zu bringen, dass er die Sachen wieder einräumt. Aber dazu fehlte mir die Kraft. Natürlich habe ich versucht, ihn da loszueisen, aber er schlug wild um sich und fing an, nach mir zu treten und zu schreien, also ließ ich ihn weitermachen.

Ich wusste nicht, was ich tun sollte. Ich rief noch mal bei dieser Mandy an und diesmal kam ich durch, aber sie hatte nicht den leisesten Schimmer, wo Katie sein könnte. Ich versuchte es im Krankenhaus, weil mir plötzlich der Gedanke kam, sie könnte einen Unfall gehabt haben, aber auch da war Fehlanzeige.

Und dann rief Grace an.

»Ich wollte mich nur mal schnell melden, nachfragen, ob Katie wieder aufgetaucht ist und...«

Sobald ich merkte, dass sie es war und nicht Katie, brach ich zusammen. Sie kam sofort vorbei.

Und sie ist immer noch hier, braucht eine Ewigkeit, um eine Tasse Kaffee zu machen. Wie schon gesagt, eigentlich hätte ich etwas Stärkeres nötig, aber Grace stellt sich stur, und mir fehlt die Kraft, mich mit ihr zu streiten. Ich hatte schon alle Hände voll damit zu tun, Tom ruhig zu halten. Jetzt sitzt er auf dem Fußboden neben mir, wiegt sich, hält die Riesenrolle mit den schwarzen Müllsäcken in beiden Händen. Sobald er die im Schrank gefunden hatte, verlor er schlagartig das Interesse an allem anderen, und Grace konnte ein bisschen in der Küche aufräumen. Er schiebt mir die Müllsäcke immer wieder unter die Nase und haut mir mit der Faust aufs Knie. Weiß der Himmel, was er von mir will.

Seit einer geschlagenen Stunde redet Grace auf mich ein, dass ich die Polizei anrufen soll. Sie sagt, wenn ich es nicht tue, dann tut sie es, aber was für einen Eindruck würde das machen?

Sie hat mir zehn Minuten gegeben, meinen Mut zusammenzunehmen. Aber ich kann das nicht ertragen, nicht noch einmal. Ich kann mich weder den Fragen stellen noch den Bemerkungen und Blicken. Das habe ich doch schon alles bei Jarvis' Tod durchgemacht. Die Streifenwagen, die tagelang vor unserem Haus parkten, das orangefarbene Plastikband, das den Schauplatz absperrte.

So etwas wird es diesmal natürlich nicht geben. Katie ist schließlich nicht tot...

Oh Gott.

Bitte nicht. Bitte nicht, lieber Gott!

Ich schnappe mir das Telefon, wähle die Nummer der Polizeiwache und warte. Mein Mund ist so trocken, dass ich nicht weiß, ob ich überhaupt ein Wort herausbringen kann.

Lieber Gott, bring sie zurück. Mach, dass sie gesund und wohlbehalten ist!

Ich hab sie doch so lieb. Ich bin vielleicht eine schlechte Mutter, aber ich habe sie schrecklich lieb.

»Ich möchte eine Vermisstenanzeige aufgeben. Es handelt sich um meine Tochter.«

Die Worte wollen mir kaum über die Lippen.

Sie fragen nach ihrem Namen.

»Katie. Meine Katie. Sie ist erst fünfzehn. Sie müssen sie finden. Bitte, bitte FINDEN SIE SIE!«

Sie fragen mich alles Mögliche, aber ich kann nur noch schreien.

»Was spielt das denn für eine Rolle, seit wann sie weg ist? Finden Sie sie einfach, verdammt noch mal! Und beeilen Sie sich!«

Katie

Samstag, 30. Juni
15:30 Uhr

*E*s ist alles total eigenartig. Kein bisschen so, wie ich es mir vorgestellt habe. Joe meint, ich bin bloß nervös und muss mich abregen, und wahrscheinlich hat er sogar Recht. Schließlich hab ich doch immer verkündet, eine Woche von zu Hause weg zu sein, wäre wie der Himmel auf Erden. Warum bin ich dann jetzt nur so unruhig?

Mein unsanftes Erwachen heute Morgen hat auch nicht gerade geholfen. Ich hatte einen schrecklichen Traum von meinem Dad. Nicht dem lebendigen Dad, sondern seinen – na ja, Überresten, so wie wir ihn eben gefunden haben. Zu einem Häufchen zusammengesunken, das Gesicht ganz grau und aufgedunsen. In meinem Traum konnte ich sogar riechen, wie er stank. Und urplötzlich klappten Dads Augen auf und er starrte mich an. Da bin ich schreiend aufgewacht – und sie waren tatsächlich da: zwei Augen, die mich aus nur wenigen Zentimetern Entfernung anschauten.

»Jetzt hab ich dich!«

Aber es war nicht Dads Stimme.

»Diesmal hab ich dich wirklich!«

Mein Hirn brauchte ein paar Sekunden, um zu kapieren, dass das auch nicht Dads Augen waren. Sie hatten unterschiedliche Farben, das eine grünlich braun, das andere grau, eingerahmt von sandfarbenen Wimpern.

Dann wurden meine grauen Zellen schlagartig aktiv. Joe.

»Du hast geträumt«, sagte er, als ich mich mühsam aufsetzte. Das Herz klopfte mir wie verrückt in der Brust. Joe schob mir zärtlich eine Haarsträhne aus den Augen.

»Es war furchtbar«, stotterte ich, während mein Herz immer noch raste. »Ich hab von meinem Dad geträumt. Von seinem Tod.«

Joe hockte sich neben mich und nahm meine Hand.

»Erzähl mir davon«, drängte er. »Ich weiß ja so gut wie nichts – nur dass ihr ihn eines Tages tot aufgefunden habt. Woran ist er denn gestorben? Hat er leiden müssen?«

Ich konnte ihm darauf nicht antworten. Ich fühlte, wie ein dicker Klumpen Tränen direkt aus meiner Magengrube hochstieg und sich in meiner Kehle festsetzte. Alice sagt, wenn es eins gibt, was Typen nicht ausstehen können, dann sind das Mädchen, die vor ihren Augen heulen. Solange ich nicht redete, konnte ich die Tränen unterdrücken. Deshalb zuckte ich nur die Achseln und drehte mich weg.

»Na los, ich will es wissen!« Joe beugte sich zu mir und klopfte mir auf den Arm, damit ich mich ihm wieder zuwandte. »Hat er einen Herzinfarkt gehabt? Oder einen Unfall? Einen Hirnschlag?«

Schön wär's.

Schön wär's, wenn mein Vater so gestorben wäre, wie die Verwandten von anderen Leuten sterben. Im Bett, zwischen sauberen weißen Laken, mit einer Vase voller Blumen auf dem Nachttisch, oder meinetwegen auch plötzlich, wie ein Käfer, den es auf dem Gehsteig erwischt, wo sich besorgte Passanten um einen scharen und gleich einen Krankenwagen rufen.

Kein Mensch sollte so sterben wie mein Dad.

Das ist einfach nicht fair.

»Katie, erzähl's mir!«

Ich kapierte nicht, warum Joe es unbedingt wissen wollte, warum er mich damit nicht in Ruhe lassen konnte. Ich hatte wirklich keine Lust, darüber zu reden. Mein Mund war ganz trocken, und meine Zunge fühlte sich an, als wäre sie über Nacht auf ihre doppelte Größe angeschwollen. Außerdem hatte ich Kopfweh und mir war leicht übel.

»Das erzähl ich dir irgendwann mal«, murmelte ich. »Ich fühl mich echt nicht besonders – und ich hab einen Riesendurst. Wie viel Uhr ist es?«

»Elf!«, erwiderte Joe. »Du hast eine Ewigkeit geschlafen. Es hat also funktioniert.«

»Was hat funktioniert?«

Er grinste.

»Mein Red-Bull-Spezialcocktail«, erklärte er lachend. »Ich hab einen ordentlichen Schuss Wodka reingetan!«

Ich wollte mich schon beschweren, dachte dann aber, dass ich mich auf keinen Fall anhören wollte, als könnte ich nichts ab.

»Ach so. Verstehe.«

Joe lachte wieder.

»Keine Sorge, ich hol dir was zu trinken. Und diesmal ohne Schuss!«

Wenn das ein Kater ist, überlegte ich, werde ich nie wieder im Leben einen Tropfen Alkohol anrühren. Ich konnte mir nicht vorstellen, warum Mum zum Brandy griff, wenn sie sich morgens auch nur halb so fertig fühlte wie ich mich jetzt.

Joe schob die Hüttentür auf, um etwas zu trinken aus dem Landrover zu holen, und ein herrlich frischer Luftschwall kam hereingeweht, direkt in meine Nasenlöcher. Ich atmete in großen Zügen ein, während die Sonne eine helle Schneise durch das Halbdunkel der Hütte schlug, ein so helles Licht, dass ich einen Moment lang die Augen schließen musste. Aber nur einen Moment lang; Sekunden später ließ mich der Geruch von taufrischem Gras und Vogelgezwitscher und Pferdewiehern aufspringen und zur Tür laufen. Ich war noch ziemlich wackelig auf den Beinen und musste mich am Türrahmen festhalten, aber zumindest wurde mein Kopf etwas klarer.

»Geh sofort wieder rein!« Joe schubste mich beinahe zurück in die Dunkelheit. Gleichzeitig drückte er mir eine Dose Dr. Pepper in die Hand. »Bist du verrückt geworden? Willst du, dass die ganze Welt dich sieht?«

Er knallte die Hüttentür zu, sodass kein Sonnenstrahl mehr hereinfiel und der Raum wieder im Halbdunkel versank. Und da flippte ich aus.

»Verdammt noch mal, Joe«, schrie ich, während ich die Dose aufriss, »wer soll mich denn hier schon finden? Oder siehst du da draußen vielleicht Horden von Leuten rumtrampeln? Mann, wir sind mitten in der Pampa, meilenweit von der Hauptstraße weg.«

Ich trank ein paar große Schlucke aus der Dose. Eigentlich schmeckt mir Dr. Pepper überhaupt nicht, aber ich war zu durstig, um nachzufragen, ob es im Landrover noch etwas anderes gab.

»Wir können kein Risiko eingehen...«, fing Joe wieder an.

»Na toll! In dem Fall sollten wir am besten für immer hier bleiben, oder? Wir können unmöglich zur Farm weiterfahren, oder? Ich meine, vielleicht würden wir ja auf dem Weg irgendwelchen Leuten begegnen, und damit wäre unser kleines Abenteuer zu Ende, oder?«

Wahrscheinlich hab ich es ein bisschen übertrieben, aber ehrlich gesagt kann ich es grundsätzlich nicht ausstehen, eingesperrt zu sein, und schon gar nicht in dieser Bruchbude, wo mir noch der schreckliche Albtraum im Kopf herumgeisterte.

»Du hast Recht!« Joes Mundwinkel zuckten, aber ein Lächeln wurde nicht daraus, sondern höchstens ein verächtliches Grinsen. »Wir fahren nirgendwohin.«

»Was? Ich wollte doch nicht… aber Joe, es tut mir Leid, ich möchte bloß…«

Ich versuchte verzweifelt, einen Rückzieher zu machen.

»Du schnallst es echt nicht, was?« Joe starrte mich weiter mit diesem höhnischen Grinsen an. »Du bist so…« Er brach ab.

»So was?«

Joe lachte kurz auf.

»Naiv«, sagte er. »Vertrauensselig.«

Er strich mir mit den Fingern über die linke Wange, aber irgendetwas an seinem Blick fuhr mir bis in die Magengrube.

»Warum sollte ich dir denn nicht vertrauen?«, fragte ich, trat näher auf ihn zu und leckte mir mit der Zunge über die Unterlippe, weil Alice mir einmal gesagt hatte, wenn man sich mit einem Jungen streiten würde, wäre das die garantiert beste Methode, ihn weich zu klopfen.

»Dafür gibt's auch keinen Grund«, sagte er und umarmte mich. Was als Nächstes passierte, war der längste, langsamste Kuss, den ich je erlebt hatte, und Joe beendete ihn nicht wie üblich, indem er mich wegstieß.

»Ach Katie, Katie, warum musst du bloß so süß sein?«

Noch einmal drückte er seine Lippen auf meine, und mein ganzer Körper fühlte sich an, als würde er gleich schmelzen. Doch dann, genauso plötzlich, wie er mit dem Geschmuse angefangen hatte, ließ er mich los und fuhr sich schwer atmend mit den Fingern durch die Haare.

»Komm, wir machen einen Spaziergang«, sagte er, wich aber meinem Blick aus. »Du hast ja Recht – solange wir im Wald bleiben, sieht uns bestimmt keiner.«

»Und warum können wir nicht gleich zur Farm fahren?«, fragte ich, als Joe nach seiner Jacke griff, die Tür mit dem Fuß auftrat und mich nach draußen führte. »Ich kann's kaum erwarten, deine Freunde zu treffen.«

»Nein!«, fuhr er mich so scharf an, dass ich vor Schreck einen Satz machte. Er fasste mich an der Hand und zog mich auf einen schmalen Trampelpfad hinter der Hütte, der auf eine kleine Baumgruppe zuführte. »Jetzt, wo du mir gehörst, will ich dich ganz für mich haben. Jedenfalls ein Weilchen.«

Ich blieb stehen und sah zu ihm hoch. Ich wagte es kaum, seine Worte zu wiederholen, weil ich den Zauber nicht brechen wollte.

»Also gehöre ich dir wirklich? Für immer?«

Alice wäre stinkwütend geworden. Sie sagt immer, dass man sich rar machen muss, wenn man will, dass ein Typ das Interesse nicht verliert.

Joes Blick war so intensiv, dass ich spürte, wie mein ganzer Körper heiß wurde, während ich buchstäblich die Luft anhielt und auf seine Antwort wartete.

»Katie Fordyce«, sagte er langsam mit seiner tiefen, ruhigen Stimme. »Du gehörst mir für den Rest deines Lebens. Bis dass der Tod uns scheidet.«

Weil das genau die Worte waren, nach denen ich mich schon so lange gesehnt hatte, protestierte ich diesmal nicht, als er wieder nach meinem Dad fragte. Wir waren inzwischen bei einem kleinen Wäldchen angekommen und legten uns auf die Erde, schauten durch das Laub in den blauen, mit Wolken gefleckten Himmel über uns. Er zupfte an meinen Haaren. Alles war ganz friedlich. Die Vögel sangen, und es war so still, dass man praktisch jedes einzelne Blatt in der leichten Brise rascheln hörte.

»Also, jetzt erzähl mir von deinem Vater«, drängte Joe und nahm meine Hand. »Wie ist er gestorben?«

Ich holte tief Luft. Ich sagte mir, wenn wir schon den Rest unseres Lebens gemeinsam verbringen wollten, hatte er auch das Recht, alles zu wissen.

»Er hat sich umgebracht«, flüsterte ich und brach gleich darauf in Tränen aus.

»Was? Selbstmord? Das ist ja nicht zu fassen!«

Aber komischerweise reagierte er nicht so, wie ich das von unseren Freunden kannte – weder geschockt noch peinlich berührt noch abgestoßen. Nein, er machte ein Gesicht wie jemand, der damit gerechnet hat, fünf Pfund zu gewinnen, und plötzlich entdeckt, dass es fünfhundert sind. Ich dachte – oder hoffte vielmehr –, dass er mich an sich drücken, mich trösten würde, doch das tat er nicht. Er rappelte sich nur hoch, wischte sich das Laub von den Jeans und wanderte weiter bis zum Rand des Wäldchens.

»Er hat sich umgebracht! Das erklärt die Sache!«, hörte ich ihn murmeln. Wahrscheinlich war ihm urplötzlich klar geworden, dass der einzige Grund, warum ich gezögert hatte, mit ihm darüber zu reden, die Schande des Selbstmords war. Einige meiner so genannten Freundinnen in der Schule hatten sich danach echt übel aufgeführt, mich sogar gefragt, ob ich irgendetwas getan hatte, um meinen Vater in den Selbstmord zu treiben. Andere meinten, er wäre wohl ein Verbrecher gewesen, der aus Schiss davor, dass man ihn eines Tages schnappen würde, den Abgang gemacht habe. Es war alles nur blödes Geschwätz, aber das half mir auch nichts.

Joe steht jetzt schon eine Ewigkeit am Rand des Wäldchens und starrt in die Luft, während ich mir alle Mühe gebe, mit dem Weinen aufzuhören und die Erinnerung an die schrecklichen Tage nach Dads Tod wegzuschieben – nachdem wir Dad in der Garage gefunden hatten.

Vielleicht ist er ja nur rücksichtsvoll und denkt, ich würde lieber allein sein. Wenn ich jetzt zu ihm gehe, wird er mich in den Arm nehmen und an sich drücken, und das ist das Einzige, was ich im Moment will.

Während ich aufstehe, bewegt er sich plötzlich. Er zieht das Handy aus seiner Tasche und jongliert damit. Vielleicht will er ja bei der Farm anrufen und nachfragen, ob alles in Ordnung ist. Das hoffe ich sehr – ich möchte wirklich gern dorthin, unter die Dusche gehen und die anderen Leute kennen lernen. Joe gibt eine Nummer ein und fängt an zu reden.

»Hör zu, ich hab gerade rausgefunden...«

Als er merkt, dass ich komme, hört er abrupt auf zu telefonieren und steckt sich das Handy wieder in die Tasche. Er dreht sich um und breitet die Arme aus.

»Und warum hat dein Dad sich umgebracht?«, fragt er, ganz so, als hätten wir das Gespräch nie unterbrochen.

»Ich dachte nicht, dass dich das interessiert!«, schieße ich zurück. »Du bist gerade einfach weggegangen...«

»Tut mir Leid, mein Schatz.« Er streicht mir über den Arm. »Ich war nur – ich musste erst mal selbst damit klarkommen. Dass dein Vater sich wirklich selbst das Leben genommen hat und so. Ich meine...«

Er spricht den Satz nicht zu Ende.

»Schon gut!« Ich will nicht, dass er sich mies fühlt, bloß weil ihm das peinlich ist. Das kann ich ihm nicht übel nehmen. Selbstmord ist nun wirklich kein Thema, über das man sich mal so eben unterhält.

»Hatte er Depressionen oder so was in der Art?«, fragt Joe, als wir langsam wieder zur Hütte zurückwandern. »Oder eine unheilbare Krankheit und wollte lieber selbst Schluss machen, statt sich noch weiter zu quälen?«

Ich schüttle den Kopf.

»Niemand weiß es genau. Aber ich kann mir schon vorstellen, was ihn dazu getrieben hat...«

»Ach ja?«

Ich nicke.

»Ich glaube, es lag an meiner Mutter«, murmele ich, und meine Stimme kippt schon wieder gefährlich. »Sie hat ihn dazu getrieben – es gab einen Abschiedsbrief...«

Ich kann nicht weiterreden. Mit einem Mal habe ich das Gefühl, meinen Vater zu verraten, wenn ich darüber spreche, was passiert ist.

»Wir waschen unsere schmutzige Wäsche nicht in der Öffentlichkeit«, sagte er oft zu mir, wenn Mum mal wieder einen ihrer Abstürze hatte und so laut brüllte, dass die Nachbarn anfingen, Fragen zu stellen. »Das geht nur uns allein etwas an.«

»Was für ein Abschiedsbrief? Erzähl mir, was drinstand«, drängt Joe und packt mich am Arm. »Ich meine – wenn es dir hilft.«

»Er hat ein paar Worte auf einen Post-it-Zettel gekritzelt und den Zettel ans Armaturenbrett von seinem Wagen geklebt.«

Ich sehe es noch genau vor mir, das grellrosa Stück Papier, das so nah neben seinem schlaffen, reglosen Körper hing.

»Darauf stand nur: ›*Ich hab mein Bestes versucht, aber es hätte doch nie gereicht. Jetzt kann ich nichts mehr geben – meine Reserven sind erschöpft. Aber zumindest ist für Katie gesorgt.*‹« Ich gebe die Worte ohne jede Betonung wieder, versuche, nicht daran zu denken, was sie bedeuten.

Joe reißt die Augen weit auf.

»Was hat er damit gemeint – ›*für Katie ist gesorgt*‹? Ja, hatte er sie denn nicht mehr alle? Wusste er denn nicht, wie deine Mutter ist? Konnte der Idiot nicht begreifen, dass sie echt gemein ist?«

Plötzlich wird er schneller und geht mit Riesenschritten bis zur Hüttentür, die er mit der geballten Faust aufstößt.

»Was fällt dir ein, meinen Vater einen Idioten zu nennen!«, schreie ich, während ich hinter ihm herrenne, um ihn einzuholen. »Das sollte bestimmt heißen, dass er meine Schulgebühren im Voraus bezahlt hat, damit ich nicht von Pipers Court abgehen muss, ganz egal was sonst passiert. Und das beweist doch, wie lieb er mich gehabt hat – auch wenn meine Mutter das Gegenteil behauptet!«

Joe zuckt die Achseln.

»Und das war alles? Ich meine, stand sonst noch was auf dem Zettel?«

Er kommt so dicht an mich heran, dass ich seinen heißen Atem fühlen kann.

»Nein.«

Und das stimmt leider. Kein »Sag Katie, dass ich sie lieb habe«, kein »Sag Katie, es tut mir Leid, dass ich sie allein lassen muss«.

Vielleicht hatte Mum ja doch Recht.

Vielleicht hat Dad mich doch nicht lieb gehabt.

Den Gedanken darf ich gar nicht erst zulassen.

»Also«, murmelt Joe so leise, dass ich ihn kaum hören kann, »hat sie drei Leben kaputtgemacht, deine Mutter.«

Ich wische mir die Tränen aus den Augen und sehe zu ihm hoch, versuche zu begreifen, was er da eben gesagt hat.

»Was meinst du damit – drei Leben?«

Joe wird rot und sieht auf einmal fast verlegen aus.

»Also – na ja – dein Leben, das von deinem Dad und … und wohl auch das von Tom. Mein Gott, wie ich sie hasse!«

Ich sage nichts. Meine Gedanken kreisen darum, ob ich das Richtige getan habe, indem ich einfach abgehauen bin. Ich weiß, Mum hat mir ein paar echt unverzeihliche Sachen an den Kopf geworfen, aber trotzdem ist und bleibt sie meine Mutter und sie ist krank, und vielleicht hätte ich dableiben und sie bearbeiten sollen, damit sie endlich mal zum Arzt geht.

Und da ist noch etwas: Joe macht mir ein bisschen Angst. Sogar mehr als ein bisschen. Er kriegt urplötzlich Wutanfälle, und manchmal sieht er mich auf eine gruslige Weise an, als wüsste er etwas, was ich nicht weiß, und würde sich darüber tierisch amüsieren.

»Können wir jetzt zur Farm fahren?«, frage ich. »Ist die Luft rein?«

Ich schätze, wenn wir erst mal dort sind, bei seinen Freunden, dann wird er auch wieder lockerer werden.

»Was?«

Er wirkt total geistesabwesend.

»Ich wollte wissen, ob auf der Farm alles klar ist – du hast doch bestimmt gerade dort angerufen.«

»Ääh, ich weiß nicht – die Verbindung war plötzlich unterbrochen!«

Ich mache einen neuen Vorstoß. »Können wir's denn nicht trotzdem versuchen? Es sind doch nur ein paar Meilen.«

Joe nickt.

»Okay. Aber ich muss erst noch was aus dem Auto holen. Geh du schon mal rein und roll die Schlafsäcke zusammen.«

Das lasse ich mir nicht zweimal sagen. Ich bin ja so froh, dass ich gleich hier abhauen und mir demnächst den Modergeruch und den ganzen Dreck wegduschen kann. Joe pfeift, während er im Landrover herumstöbert. Wahrscheinlich kann er es genauso wenig wie ich erwarten, endlich zur Farm zu kommen.

»Alles klar!«, sage ich fröhlich zu Joe, als ich die Schlafsäcke hinten in den Landrover werfe und mich zur Hütte umdrehe, um unsere restlichen Sachen zusammenzusuchen. »Ich hol nur schnell die Kissen. Können wir dann bitte los?«

»*Wir* können nicht – *ich* kann!«

Ich drehe mich blitzschnell herum und starre ihn an. Er ist mir auf den Fersen gefolgt, und er hat den Werkzeugkasten dabei und so einen Schraubenzieher mit Akku, wie ihn Mr Whelan im Werkunterricht benutzt. Aus irgendeinem Grund fängt mein Herz an zu hämmern.

»Du musst hier bleiben, bis ich die Lage abgecheckt habe!«

Er stellt den Werkzeugkasten und den Schraubenzieher auf der Erde ab und stößt mit dem Fuß die Hintertür auf.

»Aber ich hab wahnsinnig Hunger und ...«

»Das ist mir scheißegal!«

Er packt mich an den Handgelenken und gibt mir einen Schubs oder vielmehr einen richtig festen Stoß, so fest, dass ich stolpere und neben dem Tisch voll auf den Boden knalle.

Vor Schreck schreie ich los.

»Joe! Was hast du…?«

»Halt den Mund und hör mir zu! Ich muss dir was sagen!«

Er zerrt seine Jacke von der Stuhllehne und wühlt in den Taschen.

»Verdammt! Verdammt noch mal!«

Er wirft die Jacke auf den Boden.

»Was ist denn?« Ich rapple mich hoch. Mittlerweile habe ich richtig Angst.

»Ich hab da was, was ich dir zeigen muss! Was du unbedingt sehen musst! Und das hab ich liegen lassen.«

»Aber das ist doch jetzt nicht so wichtig, wir…«

»Es ist sogar sehr wichtig, kapiert?« Er zischt mir die Worte ins Gesicht, während er mich rückwärts durch den Raum schubst. »Wenn ich sage, dass es wichtig ist, dann ist es auch wichtig!«

Ich kämpfe noch um mein Gleichgewicht, als er schon zur Tür rausflitzt.

Die hinter ihm zuknallt.

Ich muss erst mal Luft holen.

»Joe? Was soll…?«

Meine Stimme wird von einem lauten Surren übertönt.

Ohne nachzudenken, renne ich ans Fenster, aber das ist ja mit Brettern vernagelt, und ich kann überhaupt nichts sehen.

»Joe! Was machst du da? Was soll der Quatsch? JOE!«

Ich will die Tür aufreißen, aber sie gibt nicht nach. Ich trommle mit den Fäusten dagegen.

Plötzlich hört das Surren auf, und ein metallisches Klirren ertönt, als wären Werkzeuge hingefallen.

»Spar dir die Mühe – du kommst sowieso nicht raus!«

»Nein – Joe – bitte komm zurück... lass mich nicht hier drin allein!«

Vor Aufregung bin ich so kurzatmig, dass ich kaum sprechen kann. Ich habe das Gefühl, als wäre mir der Brustkorb mit Eisenbändern umschnürt.

»Ich komm doch bald zurück, du Angsthäschen!« Plötzlich klingt er wieder ganz lieb. »Aber schließlich soll es so aussehen, als wäre die Bude verlassen, oder? Also bis nachher!«

»Joe, warte!« Ich muss möglichst ruhig klingen. Ich darf ihn nicht noch einmal sauer machen. »Hör zu, du hast ja Recht, aber deswegen brauchst du mich nicht einzusperren. Ich werd auch keinen Mucks von mir geben, das versprech ich dir. Ich werd aufpassen, dass mich niemand sieht. Aber lass mich bitte nicht allein...«

»Und wieso nicht?« Jetzt schreit er wieder. »Jeden Tag werden zig Leute allein gelassen. Zumindest komme ich wieder, so viel Glück haben nicht alle!«

Er geht tatsächlich. Ich höre, wie er die Wagentür zuknallt, den Motor startet und aufheulen lässt. Dann braust er davon.

Mir ist übel. Das Knie, auf das ich vorhin gefallen bin, fängt an zu pochen, und die unheimliche Stimmung in dieser Hütte überträgt sich voll auf mich. Es ist so still, dass ich nicht nur das Vogelgezwitscher höre, sondern sogar das Geraschel von einem Zweig an den Brettern vor dem Fenster.

Und niemand weiß, dass ich hier bin.

»Hilfe! Hilfe!«

Meine Stimme klingt elend schwach. Die würde sowieso keiner hören können.

Mein Herzschlag dröhnt mir in den Ohren und ich muss dringend aufs Klo.

Nur die Ruhe. Er kommt zurück. Das hat er schließlich gesagt.

Die Farm ist ganz in der Nähe. Er wird alles abchecken und gleich zurückkommen und wir werden wieder zusammen sein.

Aber ich will nicht mehr mit ihm zusammen sein.

Ich glaube, ich liebe ihn nicht mehr.

Ich will nach Hause.

Ich will zu meiner Mum.

So habe ich mir das echt nicht vorgestellt.

Tom

Samstag, 30. Juni
15:45 Uhr

*I*ch mag das nicht. Ich mag nicht, dass diese Leute hier im Haus sind. Sie sind schon lange hier, und ich will, dass sie endlich gehen.

Das Muster ist ganz verkehrt – ein Mann sitzt da, wo sonst Katie sitzt, und eine fremde Frau hat sich Mums Stuhl genommen. Und Mum weint. Sie weint immer, wenn Katie böse ist, also müssen diese Leute auch böse sein. Sie waren früher schon mal hier und haben meinen Dad weggebracht. Etwas wegbringen ist ganz schlimm. Ich weiß, dass es diese Leute waren, weil ich mich an die Muster auf ihren Hüten erinnere. Hübsche Muster auf den Köpfen von sehr bösen Leuten.

Jetzt redet die Frau mit dem geringelten Kugelschreiber über Katie und schreibt etwas auf einen Block mit einem Rand voll geringelter Drähte.

»Ist sie schon früher einmal von daheim ausgerissen? Haben Sie eine Ahnung, wohin sie gegangen sein könnte?«

Mum schüttelt den Kopf. Das bedeutet nein.

Ich rufe laut. Ich weiß, wo sie hingegangen ist. Sie ist mit dem Joe in den Wald gegangen. Oder auf die Farm? Füchse auf einer Farm.

Sie hören mir nicht zu. Sie gucken mich nicht mal an.

Der Mann beugt sich vor und starrt Mum ins Gesicht.

»Hat sie vielleicht einen Freund, Mrs Fordyce? Hat sie sich mit einem Jungen getroffen?«

146

»Nein – sie ist nicht so eine!« Mum springt auf und geht im Zimmer hin und her, hin und her.

Ich rufe lauter und halte sie am Bein fest, als sie bei mir vorbeikommt.

Sie ist bei dem Joe!

»Tom, sei still!« Mum ist sauer. Ihr Gesicht ist rot und ihre Augen sind nass. Sie holt ein paar Blätter Papier und meine Filzstifte und wirft sie mir vor die Füße.

»Sei ein braver Junge, Tom, und mal mir was Schönes.«

Dann guckt sie zu der Polizeifrau rüber.

»Er vermisst seine Katie, der Liebe«, sagt sie. Ihre Stimme wird ganz leise, wie immer, wenn sie mit anderen Leuten über mich redet. Die Polizeifrau nickt und macht »Aah«- und »Mmm-mmh«-Geräusche.

»Er versteht nicht, was passiert ist«, sagt Mum.

Aber es ist genau andersrum. Ich verstehe es und ihr nicht. Warum seid ihr bloß so dumm?

Sie reden weiter. Wörter, Wörter, Wörter, hin und her, mal lauter, mal leiser. Manches verstehe ich und manches nicht.

»Junge Mädchen ... mehrere Vorfälle in diesem Sommer ... gefährlich ... sehr ernst nehmen.«

Grace springt auf, nimmt ein paar Teetassen, trampelt im Zimmer rum. »Und was werden Sie jetzt UNTERNEHMEN?«

Sie ruft das letzte Wort ganz laut und alle sehen zu ihr auf. Grace ist eigentlich nicht laut. Grace sagt sonst immer leise Sachen wie »Ist ja gut, Tom, alles in Ordnung«, nimmt mich auf den Schoß und singt mir Lieder vor. Sie kennt ganz viele.

»Mit Rumsitzen und Däumchendrehen ist es doch nicht getan!« Ihre Stimme wird immer lauter. »Vielleicht ist Katie ja entführt worden ...«

Ich rufe, dass der Joe sie zur Farm gebracht hat, aber wieder hört mir niemand zu.

Dann redet die Polizeifrau.

»Wir brauchen ein Foto… Beschreibung der Kleidung, die sie gestern Morgen getragen hat… fehlt vielleicht irgendetwas?«

Der schwarze Müllsack. Der fehlt. Katie hat ihn in der Nacht rausgestellt, was verkehrt rum war, aber als der Minibusmann kam, war der Sack weg.

Ich probiere nicht mal mehr, es ihnen zu sagen. Sie verstehen mich sowieso nicht. Besser, ich male es.

Ich male schneller und immer schneller – Katie mit dem schwarzen Müllsack, Katie in dem roten Schlafanzug.

»Das ist aber ein schönes Bild!« Die Polizeifrau kniet sich neben mich und berührt das Papier. »Sehr hübsch!«

Ich rufe, dass es kein bisschen hübsch ist – kann sie das denn nicht sehen? Es ist schrecklich. Es zeigt Katie, wie sie etwas verkehrt rum macht. Und jetzt fehlt der Sack.

»Was ist denn das?«

Sie deutet auf den Müllsack.

Ich stoße sie mit dem Finger und rufe. Schiebe ihren Arm weg, damit sie die schwarzen Säcke sieht, die ich ans Fenster gelegt habe.

Aber sie lächelt bloß und streicht mir über den Kopf. Dann steht sie wieder auf und setzt sich zu Mum.

Das macht mich sehr wütend.

Wirklich sehr wütend.

Grace

Samstag, 30. Juni
17:00 Uhr

*I*ch hab doch gewusst, dass ich schon früher hätte eingreifen sollen. Wenn Katie etwas zugestoßen ist, werde ich mir das nie verzeihen. Bill findet zwar, ich habe mir nichts vorzuwerfen, aber ich denke die ganze Zeit, hätte ich doch Lydia nur eher bei der Polizei anrufen lassen, dann... aber für solche Gedanken ist es jetzt natürlich zu spät.

Ich kann nur beten, dass es für Katie noch nicht zu spät ist.

Der Nachmittag war schrecklich. Nach meinem kleinen Ausbruch ließen sich die Polizistin und ihr Kollege von Lydia Katies Zimmer zeigen und durchsuchten alle ihre Klamotten. Sie meinten, wenn sie wüssten, was sie mitgenommen hat, würde ihnen das bei ihren Nachforschungen helfen. Sie waren nicht lange oben. Ich hatte nur eben Zeit, für Tom schwarzen Johannisbeersaft heiß zu machen, um ihn zu beruhigen. Als sie herunterkamen, konnte ich an Lydias Miene ablesen, dass irgendetwas ganz und gar nicht in Ordnung war.

»Sind Sie absolut sicher, dass keins von ihren Kleidungsstücken fehlt?«

Die Polizistin legte sanft einen Arm um Lyddys Schultern.

Die nickte wortlos.

»Nur die Schuluniform, die sie gestern Morgen anhatte«, murmelte sie.

»Wenn das so ist«, erwiderte der Beamte, der sich das Kinn

149

rieb und Lydias angsterfülltem Blick auswich, »dann müssen wir wohl davon ausgehen, dass Katie nie die Absicht hatte wegzulaufen.«

»Sie meinen...?«

Alle Farbe wich aus Lydias Gesicht. Mir wurde übel.

»Vielleicht ist sie ja verschleppt worden«, sagte die Polizistin leise. »Wir werden sofort eine Großfahndung einleiten.«

Lydia hielt sich tapfer, das muss man ihr lassen. Sie schluckte schwer, biss sich auf die Lippe und nickte.

»Also – Sie sagten doch, dass Sie ein Foto von Katie brauchen?« Sie ging an den Walnusssekretär in der Ecke des Wohnzimmers.

»Ja, bitte«, sagte die Polizistin und nickte. »Und eine Beschreibung der Schuluniform.«

»Grauer Rock, weiße Bluse, dunkelbraunes Sweatshirt, grauer Blazer mit dunkelbraunem Schulabzeichen und schwarze Schnürschuhe...« Lydia hielt stirnrunzelnd inne.

»Ist Ihnen noch etwas eingefallen?« Der Polizist schaute von seinem Notizbuch auf.

»Die Schulschuhe standen oben neben dem Bett«, antwortete Lydia. »Aber ihre albernen Turnschuhe – die sind weg! Sie ist doch tatsächlich damit zur Schule gegangen, obwohl ich's ihr verboten habe!«

Ihre Gesichtszüge erschlafften.

»Nur dass sie gar nicht in der Schule angekommen ist...«

Niemand sagte etwas.

»Und die Turnschuhe?«, fragte der Beamte. »Wie sehen die aus?«

»Fürchterlich!«, erklärte Lydia. »Silbern und an beiden Seiten mit kleinen Nieten besetzt. Ich hätte ihr nie erlaubt, die zu kaufen, wenn nicht...«

»Das ist gut!«, unterbrach die Polizistin sie. »Sehr auffällig. An so ungewöhnliches Schuhwerk erinnern sich vielleicht die Leute.«

Bitte, betete ich stumm, bitte mach, dass jemand sich daran erinnert! Lydia zog ein Foto aus der Schreibtischschublade und reichte es dem Polizisten.

»Das wurde Ostern aufgenommen«, sagte sie. »Jetzt trägt sie die Haare etwas länger.«

»Auffällige Augen«, bemerkte die Polizistin, die ihrem Kollegen über die Schulter sah. »Das könnte hilfreich sein. Ich glaube, solche Augen vergisst man nicht.«

»Die vergisst man wirklich nicht«, bestätigte Lydia.

Es war schon irgendwie komisch, wie sie das sagte, aber sie hat ja eine Menge durchgemacht, die Arme.

»Wir nehmen das Bild mit und machen davon Plakate«, erklärte die Polizeibeamtin. »Und wir geben Suchmeldungen im Radio und im Fernsehen durch.«

Sie tätschelte Lydias Arm.

»Wir finden sie ganz bestimmt!«, sagte sie lächelnd.

Bitte, lieber Gott!

Kurz darauf gingen sie. Sie baten Lydia, alle anzurufen, die vielleicht eine Ahnung haben könnten, wo Katie sich aufhielt. Jetzt hängt sie am Telefon, und ich finde wirklich, sie hält sich gut. Ich weiß nicht, wie sie das schafft: Als mein Gareth nach dem Streit mit seinem Vater weglief, war ich mit den Nerven am Ende – und dabei wusste ich genau, wo er steckte.

Ich gehe jetzt wohl besser heim zu Bill. Wenn ich Abendbrot für ihn mache, habe ich wenigstens was zu tun.

Diese Warterei macht einen ganz fertig.

Samstag, 30. Juni
22:17 Uhr

»Guten Abend. Hier ist die BBC mit der Landesschau ›Bei uns im Osten‹. Wir bringen Ihnen die Spätausgabe der Abendnachrichten. Zunächst bittet Sie die Polizei in den East Midlands um Mithilfe: Gesucht wird die fünfzehnjährige Katie Fordyce aus Hartfield. Katie erschien am Freitagmorgen nicht in der Schule. Da in letzter Zeit in unserem Sendegebiet wiederholt junge Mädchen überfallen worden sind, nimmt die Polizei Katies Verschwinden sehr ernst. Katie ist etwa eins achtundfünfzig groß, hat aschblondes Haar, Sommersprossen und verschiedenfarbige Augen; das linke ist grün und das rechte grau. Die Schülerin wurde zuletzt in der braungrauen Uniform der Pipers Court School gesehen. Dazu trug sie auffällige silberne Turnschuhe. Sachdienliche Hinweise nimmt die Polizei unter der Telefonnummer 0 16 04 / 56 73 45 entgegen.«

Lydia

Samstag, 30. Juni
22:30 Uhr

*B*estimmt geht es ihr gut… Sie ist doch sicher nur ausgebüxt, weil ich so oft zur Flasche greife. Natürlich habe ich das nicht der Polizei gesagt, obwohl bestimmt irgendwo in ihren Unterlagen steht, dass ich ein bisschen was intus hatte, als sie Jarvis fanden. »Total betrunken«, hat Katie das damals genannt, aber Kinder übertreiben ja immer.

Zuerst dachte ich wirklich, dass sie ausgebüxt ist, weil ich ihr verboten hatte, zu der Party zu gehen. Als ich dann aber hörte, dass sie nie bei Mandy aufgetaucht ist, war mir klar, dass etwas anderes dahinter stecken muss. Ich glaube nicht, dass ein Fremder sie mitgenommen hat. Dafür ist sie viel zu vernünftig und clever, und außerdem habe ich ihr einen Beeper mit Notruftaste geschenkt, als wir hier rausgezogen sind und…

Oh Gott! Da liegt er ja, der Beeper! Auf dem Flurtischchen. Sie hat ihn gar nicht mitgenommen.

Wie konnte sie nur so dumm sein. Wie konnte sie nur…

Ach, Katie, Katie… Wenn du heil nach Hause zurückkommst, trinke ich keinen Tropfen mehr. Versprochen! Ich schreie dich auch nie mehr an. Ich reiße mich zusammen und werde eine gute Mutter sein. Ganz bestimmt.

Hörst du mich, Gott? Ich schwöre es.

Katie

Samstag, 30. Juni
22:35 Uhr

Er kommt nicht zurück. Er lässt mich hier verrecken. Ich kann nicht raus – er hat die Tür zugeschraubt.

Ich habe eine Maus gesehen. Da musste ich schreien.

Kein Mensch hört, wenn ich schreie.

Kein Mensch.

In meinem Kopf dreht sich alles. Ich fühle mich ganz schwach. Hier gibt es nichts – keine Messer, keine Scheren, keinen Hammer. Nichts, womit ich mich befreien könnte.

Ich habe solchen Hunger.

Ich habe solche Angst.

Mum hat bestimmt auch Angst. Sie hat sicher bei den Bullen angerufen.

Die werden irgendwann kommen.

Aber woher sollen sie wissen, wo sie suchen müssen?

Keiner weiß was von Joe.

Keiner weiß was von der Farm.

Nur Tom.

Und Tom kann es keiner Menschenseele erzählen.

Ich muss hier verrecken.

Grace

Sonntag, 1. Juli
3:00 Uhr

*I*ch kann nicht schlafen. Jedes Mal wenn ich die Augen schließe, sehe ich Katies Gesicht vor mir. Als ich mir vorhin ihr Bild im Fernsehen angucken musste, war ich fix und fertig. Suchmeldungen gibt es ja häufiger, aber man erwartet doch nie, dass es mal um einen Menschen geht, der einem nahe steht.

Und Katie steht mir nahe. Ich kenne sie seit ihrer Geburt. Komisch, wie das Leben manchmal so spielt – hätte ich mir an dem Freitag damals nicht freigenommen, wäre ich Lydia vielleicht nie wieder begegnet. So ein merkwürdiger Zufall – aber vielleicht war es ja auch Schicksal. Vielleicht wusste Gott, dass Lydia so viel Freunde wie möglich brauchte – keine Ahnung. Ich war an dem Tag in Brighton, hatte eine alte Freundin besucht und im letzten Moment noch den Zug erwischt. Er war rappelvoll, und ich musste mich durch mehrere Wagen drängeln, um einen Sitzplatz zu ergattern. Als ich endlich einen fand, ließ ich mich schwer atmend, immer noch ganz aus der Puste, darauf fallen. Meine Sitznachbarin sah aus dem Fenster, das Kinn auf die Hände gestützt, und erst als wir am Bahnhof Preston Park hielten, merkte ich, dass sie weinte. Sie gab keinen Laut von sich. Ich sah nur, dass ihre Schultern zuckten und dass sie in der Hand ein zerdrücktes Papiertaschentuch hielt.

»Geht es Ihnen nicht gut?« Es war ziemlich offensichtlich, dass es ihr alles andere als gut ging, aber ich wusste nicht, was ich sonst sagen sollte.

Als sie nicht reagierte, berührte ich sie am Arm, worauf sie zusammenfuhr.

»Schon gut«, sagte ich hastig, »ich wollte nur wissen, ob Sie ...«

Die nächsten Worte blieben mir im Halse stecken. Ich traute meinen Augen nicht.

»Das ist doch ... das kann doch nicht ...«

Ich zögerte. Die Haarfarbe – ein schrilles Orangerot – stimmte zwar nicht, aber die Stupsnase und das Kinn mit den Grübchen waren unverkennbar ...

»Lyddy?«

Sie hatte sich schon abgewandt, offenbar weil sie sich wegen der verweinten Augen und der geröteten Nase schämte, aber als ich sie mit ihrem Kosenamen anredete, drehte sie sich ruckartig zu mir um.

»Woher wissen Sie ...?« Sie brach ab, starrte mir ins Gesicht, und man konnte ihr buchstäblich ansehen, wie sie die Jahre in ihrem Gedächtnis zurückspulte.

»Grace?«

Ich brachte keinen Ton heraus, nickte nur und schlang die Arme um ihren Hals. Das war wohl in dem überfüllten Zug genau das Falsche, denn als ich sie an mich drückte, begann sie wieder zu schluchzen. Ein paar Leute drehten sich zu uns um, aber ich warf ihnen meinen berüchtigten strafenden Blick zu – Bill sagt immer, der würde ein feindliches Heer glatt am Einmarsch hindern –, jedenfalls steckten sie die Köpfe wieder in ihre Zeitungen.

»Das ist ja eine tolle Überraschung!«, sagte ich zu ihr. »Aber was hast du denn? Was ist los?«

»Nichts, mir geht's gut!«, beteuerte sie, doch sie wich meinem Blick aus.

»Alles klar! Das hast du schon als kleines Mädchen immer gesagt und schon damals habe ich dir nie geglaubt!«

Schon wieder schossen ihr die Tränen in die Augen, kullerten ihr übers Gesicht. Eigentlich bekam ich gar nicht alles richtig mit, weil sie so aufgeregt war und ganz leise flüsterte, denn um uns herum spitzten alle neugierig die Ohren. Kurz gesagt, sie war an einen Kerl geraten, der sie misshandelt und die Treppe runtergeworfen hatte. Und deshalb war sie nun auf der Flucht. Ich fragte, wohin sie fuhr, und sie sagte, ein Bekannter hätte ihr angeboten, bei ihm zu wohnen, bis alles geregelt wäre.

»Hier muss ich raus!«, sagte sie und sprang plötzlich auf, als der Zug in den Bahnhof Hayward Heath einlief. Sie zog eine schäbige Reisetasche vom Gepäckregal und drängte sich an mir vorbei.

»Warte!«, sagte ich und hielt sie am Arm fest. »Du kannst nicht einfach wieder in meinem Leben auftauchen und dann zum zweiten Mal sang- und klanglos verschwinden. Wo erreiche ich dich?«

Sie zögerte.

»Äääh … ich hab die genaue Adresse nicht dabei«, murmelte sie. »Gib mir deine Telefonnummer, dann rufe ich dich an.«

Ich kritzelte sie auf die Rückseite eines Briefumschlags und drückte Lyddie noch einmal an mich.

»Ich freue mich wahnsinnig, dass wir uns wieder getroffen haben, Lyddy«, sagte ich.

»Echt?« Sie schien überrascht. »Meinst du das ehrlich?«

Ich nickte.

»Danke«, murmelte sie mit einem Anflug von Lächeln. »Das ist wirklich lieb von dir.«

Und damit schob sie sich durch den Gang und stieg aus.

Als der Zug den Bahnhof verließ, sah ich, wie sie auf einen hoch gewachsenen, sportlichen Kerl zulief. Der nahm sie in die Arme, schwenkte sie ein paarmal im Kreis und bedeckte ihr Gesicht mit Küssen.

Ich weiß noch, wie ich hoffte und betete, dass dieser Bekannte – der offensichtlich viel mehr als das war – sie besser behandeln würde als ihr voriger Mann. Natürlich wusste ich damals nicht, dass es Jarvis war. Das habe ich erst erfahren, als sie mich zur Hochzeit einluden. Lydia verlor keine Zeit. Die beiden heirateten kaum sechs Wochen nach unserer Begegnung, und im darauf folgenden August bekam ich einen Anruf, dass die kleine Katie Josephine auf die Welt gekommen sei und ob ich Taufpatin werden wolle? Natürlich sagte ich zu, und ich habe ihnen gegenüber nie erwähnt, dass ich gut rechnen kann und mir durchaus klar war, dass Lydia schon vor der Hochzeit schwanger gewesen sein muss. Sie hat immer behauptet, Katie sei eine Frühgeburt, und ich spielte mit. Ich fand, dass Jarvis ein guter Mann war, und das genügte mir.

Ich habe das Baby gleich ins Herz geschlossen, schon beim ersten Anblick. Und ich habe Katie noch immer lieb. Ich war ganz aus dem Häuschen, als Lydia und Jarvis sich vor ein paar Jahren entschlossen, in diese Gegend zu ziehen – obwohl das sicher voreilig war, wenn ich bedenke, dass es eigentlich mit Lydias Krankheit zusammenhing. Aber es war schön, Katie öfter zu sehen und Lyddy mit dem armen Tom helfen zu können.

Wenn meiner süßen Patentochter irgendetwas zugestoßen ist…

Tom

Sonntag, 1. Juli
4:30 Uhr

*S*ie ist hier! Sie ist nach Hause gekommen! Ich habe geträumt, dass sie hier war. Ich habe die Augen aufgemacht und da ist sie. Ihr laufen Tränen übers Gesicht.

Ich strample die Decke weg und springe aus dem Bett.

Katie!

Ich breite die Arme aus und werfe mich ihr entgegen.

Ich falle *plumps!* auf den Boden.

Katie ist nicht da. Das Zimmer ist leer. Da ist keiner.

Ich sehe sie in meinem Kopf. Sie hat mir von dem Joe und der Farm erzählt. Aber sie hat nicht gelächelt. Sie hat geweint.

Sie hat meinen Namen gerufen, immer und immer wieder.

»Tom, ach Tom!«

Das schlimme Gefühl in meinem Hinterkopf fängt wieder an. Katie ist nicht da, weil ihr schlimme Sachen passieren.

Das weiß ich genau.

Ich haue mir mit den Fäusten an den Kopf, damit das Gefühl weggeht, aber es geht nicht weg.

KATIE! KATIE!

Bruchstücke von dem Traum gehen mir immer wieder durch den Kopf. Da ist Katie in einem Auto mit dem Joe. Sie hat mir von dem Joe-Auto erzählt. Darauf sind lauter Blumen gemalt.

In meinem Traum hatte es keine Blumen.

Es war schmutzig und Katie hat geweint.

KATIE!

Jetzt ist Mum da und legt mich wieder ins Bett.

»Alles okay, Tom, das war nur ein böser Traum!«

Ich haue sie, schubse sie, boxe sie, versuche, ihr zu sagen, dass etwas Schlimmes passiert, aber sie geht nur ins Bad und holt die Flasche mit der lila Medizin.

»Damit kannst du besser schlafen«, sagt sie und schiebt mir den Löffel in den Mund. Ich spucke alles wieder aus.

Ich will nicht schlafen. Ich habe viel zu viel Angst.

Ich will Katie.

Lydia

Sonntag, 1. Juli
11:00 Uhr

*W*ie sehe ich bloß aus! Entsetzlich... Die Fernsehleute können jede Minute kommen und ich bin total verheult. Aber das macht wahrscheinlich nichts. Man erwartet ja von einer verzweifelten Mutter, dass sie krank vor Sorge ist. Die Polizei sagt, falls Katie nur aus Trotz ausgerissen wäre, könnte ein Aufruf im Fernsehen Wunder wirken. Die nette Polizeibeamtin ist schon da. Sie ist nach oben aufs Klo gegangen und will sich dann zum zweiten Mal Katies Zimmer ansehen – weiß der Himmel, was sie da noch zu finden hofft.

»Man kann nie wissen, Mrs Fordyce«, meinte sie. »Vielleicht hat Katie Briefe aufgehoben oder Tagebuch geschrieben – oder wir finden raus, was für Bücher sie gelesen hat.«

Ich dachte, die spinnt wohl. Was haben Bücher denn mit dem Leben zu tun?

»Manchmal lesen junge Mädchen etwas, das ihre Fantasie anregt, und dann laufen sie weg und wollen das nachmachen«, sagte sie. Klingt irgendwie verschroben, aber der Inspektor meint, sie kommt frisch von der Polizeischule, und da hat sie wohl noch lauter Rosinen im Kopf.

Na, jedenfalls habe ich dadurch noch ein bisschen Zeit, das Wohnzimmer aufzuräumen, nachdem Tom hier so gewütet hat. Mir wäre es lieber gewesen, es wäre ein Werktag und Tom in der Lime Lodge, wo jetzt das Kamerateam kommt. Aber auf der anderen Seite macht es sich im Fernsehen vielleicht gar nicht so schlecht... wie ich mich um Tom kümmere und mich so tapfer schlage, nach allem, was passiert ist.

Heute Morgen war er wieder mal kaum zu ertragen. Es ist eine ganze Weile her, dass er einen so schlimmen Anfall hatte. Schon beim Aufstehen wollte er mich nicht angucken, was immer ein schlechtes Zeichen ist. Früher war er durchgängig so, aber in letzter Zeit gab es Tage, an denen er richtig gut drauf war und sich bemüht hat, eine Art von Kontakt herzustellen. Heute allerdings nicht. Heute könnte ich genauso gut unsichtbar sein.

Er sitzt die ganze Zeit in der Ecke und kehrt mir den Rücken zu. Und malt Bilder von Katie. Ich weiß, dass das Katie ist, denn, wie gesagt, Zeichnen ist nun mal sein Ding, und er kriegt eine ziemliche Ähnlichkeit mit ihr hin, wenn er sich Mühe gibt. Aber was ich ganz schlimm finde: Immer wenn er sie malt und ich sage, wie toll er das macht, schnappt er sich einen dicken Filzer und schwärzt Katie total ein. Das jagt mir eiskalte Schauer über den Rücken. Ich weiß, er will damit nur ausdrücken, dass er böse auf sie ist, weil sie Reißaus genommen hat, aber es ist trotzdem unheimlich.

Fertig! So ist es schon besser. Die Kissen sind da, wo sie hingehören, und die Spielsachen weggeräumt. Die Leute vom Fernsehen sollen nicht glauben, dass es bei uns so aussieht wie bei Hempels unterm Sofa. Nein, alle sollen denken, dass ich eine gute Mutter bin.

Das wollte ich immer werden. Schon als ich ganz klein war, habe ich davon geträumt, wie es wäre, wenn ich Kinder hätte. Ich habe mir geschworen, dass ich nicht sterben würde wie Mum oder meine Kinder hauen wie Dad. Aber alles ist schief gegangen.

Ich wollte nie wieder schwanger werden, nicht nach dem, was ich mit Ihm tagtäglich erlebte. Ich hatte schon einen Fehler begangen und nicht die Absicht, alles noch schlimmer zu machen.

Als ich es merkte, wollte ich das Kind unbedingt loswerden – aber ich hab's nicht übers Herz gebracht. Dreimal bin ich zur Klinik gefahren und dreimal habe ich vor der Tür wieder kehrtgemacht. Ich hatte vermutlich Glück. Mir war nicht übel oder so was, darum hat ja auch kein Mensch was geahnt. Nachts habe ich wach gelegen und fieberhaft überlegt, was ich tun sollte.

Der Brief war wie eine Antwort von Gott – jedenfalls dachte ich das damals. Ich weiß noch, wie ich ihn aufhob, die Handschrift erkannte und ihn dann schnell in meine Bademanteltasche steckte, denn in dem Moment kam Er die Treppe heruntergepoltert und beschimpfte mich wüst, weil das Frühstück noch nicht fertig war. Schon komisch, wenn ich daran zurückdenke – das war der Morgen, als Er so hart zuschlug, dass ich Sterne sah. Nein, wirklich – man liest solche Sachen in Büchern und denkt, das ist nur so dahingesagt, aber ich hab wirklich welche gesehen. Wenn Er mich nicht in den Bauch geboxt hätte, dann hätte ich wohl trotzdem alles einfach weiterlaufen lassen, mir eingeredet, dass Er es ja nicht so meinte und bestimmt ruhiger würde, wenn Er einen neuen Job gefunden hätte, mich an Seine guten Seiten erinnert. Aber als Er mir seine Faust in den Bauch rammte – in mein ungeborenes Kind –, da stand mein Entschluss fest.

Natürlich konnte ich nicht auf der Stelle abhauen. Er war aus der Tür gestürmt, und ich blieb allein zurück, um zu Hause alles in Ordnung zu bringen. Aber ich las immer wieder den Brief, in dem stand, wie sehr er mich liebte und was für ein schönes Leben wir miteinander haben könnten – und zwei Tage später bin ich gegangen. Ihn zu verlassen, ist mir nicht schwer gefallen, wohl aber…

Nein. Ich darf nicht mehr daran denken. Es hat ja sowieso keinen Sinn – und außerdem war das der Preis, den ich zahlen musste, um ein neues Leben anzufangen. Ich habe mir geschworen, dass ich die Vergangenheit ruhen lassen, dass ich meiner

Tochter nie die Wahrheit erzählen würde, und daran habe ich mich auch gehalten. Bis jetzt. Bis letztes Wochenende, als es mir wirklich dreckig ging und mir der ganze Mist über ihren Vater rausgerutscht ist.

Und deswegen bestraft mich Gott jetzt. Katie ist weg.

Ein Ü-Wagen hält vor dem Haus. Das werden die Leute vom Fernsehen sein. Hoffentlich muss ich nicht weinen. In der Öffentlichkeit kommt man sich dabei doch so blöd vor.

Allerdings habe ich heute eine Menge Anrufe von wildfremden Leuten bekommen. Ich wohne jetzt schon fast anderthalb Jahre hier, aber so gut kannte ich die Nachbarn bisher gar nicht. Jetzt kommen sie auf einmal alle mit Blumen und Gebäck – Mrs Driscoll aus Nummer 34 hat mir sogar eine Hühnersuppe gebracht und gesagt, dass Tom und ich bei Kräften bleiben müssen.

Oh Gott, es klingelt schon wieder an der Tür.

»Ich mach auf!« Brenda, die Polizistin, läuft die Treppe runter. Sie nimmt zwei Stufen auf einmal. Wir duzen uns jetzt – sie ist wirklich nett und sagt mir immer wieder, wie toll ich das mit Tom hinkriege. Die meisten Leute können gar nicht richtig nachvollziehen, was man mit einem behinderten Kind durchmacht.

»Mrs Fordyce! Ich bin Philip Aubrey von der BBC-Landesschau ›Bei uns im Osten!‹. Tut mir Leid, dass wir uns unter diesen traurigen Umständen kennen lernen müssen.«

Wir geben uns die Hände. Er sieht nett aus, breitschultrig, mit wilder Mähne – wie ein zu groß geratener Teddybär.

»Sie sind sehr tapfer«, bemerkt Brenda, während ein anderer Typ mit einer Kamera und einem von diesen komischen Mikros auftaucht.

»Mir bleibt ja auch nichts anderes übrig«, sage ich zu ihnen. »Ich hab's nicht einfach gehabt im Leben.«

Ich spüre, dass sie alle beeindruckt sind.

Das sind die Leute meistens.

Katie

Sonntag, 1. Juli
12:30 Uhr

*I*ch habe solche Angst, dass ich kaum atmen kann. Wie ist das nur passiert? Wie bin ich da bloß reingeschlittert? Ich hab gedacht, dass Joe mich liebt, dass er für mich sorgen will. Als er heute Morgen zurückkam, hab ich sogar gedacht, alles wäre wieder okay, er hätte nur übertrieben reagiert und eben einen Mordsschiss davor, dass man uns finden könnte.

Aber stattdessen ist jetzt alles noch viel schlimmer. Ich weiß nicht, was in ihm vorgeht, aber er jagt mir eine Wahnsinnsangst ein. Ich muss hier weg – und zwar schnell. Aber wie, wenn er mir die Hände hinterm Rücken gefesselt und meinen rechten Fuß ans Tischbein gebunden hat?

Wie konnte ich nur so blöd sein? Was soll ich jetzt machen?

Joe hat mich die ganze Nacht allein gelassen. Wie konnte er behaupten, dass er mich liebt, und dann so was tun?

Gestern habe ich den ganzen Abend geschrien und gegen die Tür der Hütte getreten, ja sogar versucht, das Tischende dagegen zu rammen, weil ich hoffte, dass sie einkracht, aber es war zwecklos. Joe muss sie zugenagelt haben. Als es dunkel wurde, flippte ich fast aus. Ich konnte Kratzgeräusche im Dachgebälk hören und war mir ziemlich sicher, dass das Ratten waren. Ich wünschte, ich hätte die Schlafsäcke nicht in den Landrover gelegt – so hatte ich nur zwei Kissen und die Klamotten in meiner Reisetasche.

Irgendwann muss ich wohl eingenickt sein, denn ich träumte,

dass Dad in der Garage herumwerkelte und ich ihm Nägel und Schrauben reichte. Plötzlich kam eine riesige Motte hereingeflogen, mit Flügeln, die wie Hubschrauberpropeller surrten. Ich schreckte aus dem Schlaf hoch und schrie.

Es war Joe. Das Geräusch kam von dem Akku-Schraubenzieher, mit dem er die Bretter vor der Tür abmachte.

»Gott sei Dank, dass du wieder da bist!«, rief ich, als Joe durch die Tür trat und einen Pappkarton auf den Tisch stellte. Er kam grinsend auf mich zu und drückte mich fest an sich. Die offene Tür bewegte sich im Wind, und ich sah, dass es schon fast hell war.

»Ach, Joe!«, keuchte ich. »Wo bist du gewesen? Warum hast du mich allein gelassen? Was ist denn nur los?«

Er schien gar nicht zu bemerken, dass ich weinte.

»Die Polizei sucht uns«, legte er los. »Es kam im Radio, und im Schaufenster vom Fernsehladen habe ich ein Foto von dir auf dem Bildschirm gesehen...«

»Dann lass uns doch heimfahren!«, unterbrach ich ihn hastig. »Ich meine, Mum wird außer sich sein und...«

»Gut!«, rief er aus. »Gut, gut, gut!«

Seine Stimme klang so komisch... Ob er wohl was getrunken hatte? Er kam mir total überdreht vor.

»Sie hat ihre Lektion ja gelernt und...«, fuhr ich fort, aber Joe wollte nichts davon wissen.

»Die hat noch nicht mal angefangen, sich Sorgen zu machen!«, schrie er. »Wenn die Sache erst über die Bühne gegangen ist, wird Mummy sich wünschen, vom Erdboden zu verschwinden!«

Ich versuchte, das Thema zu wechseln.

»Können wir jetzt endlich zur Farm fahren? Bitte?«, fragte ich so ruhig, wie meine zitternde Stimme es erlaubte. Ich dachte, wenn wir erst im Landrover wären und losfahren würden, könnte ich vielleicht rausspringen und abhauen.

Joe grinste breit, und ich dachte schon, er würde Ja sagen. Ich schmiegte mich an ihn und drückte mein Gesicht in seine Jacke. Früher war er immer besonders zärtlich zu mir, wenn es mir mies ging. »Ich will nur hier raus – ich hatte solche Angst und …«

»Nicht halb so viel Angst, wie du noch kriegen wirst!«, lachte er, strich mir mit beiden Händen über den Rücken und packte dann meine Handgelenke. »Das hier ist erst der Anfang!«

Bevor ich wusste, wie mir geschah, hatte er mich schon an die Wand geschubst, eine Schnur aus dem Pappkarton gezogen und mir die Hände gefesselt.

»Joe! Nein!« Ich warf mich mit ganzer Kraft auf ihn, aber er wich mir lachend aus und ich schlug der Länge nach hin.

»Joe, wenn das ein Spiel sein soll, dann finde ich das nicht komisch!« Ich versuchte, ruhig zu bleiben, obwohl mir das Herz bis zum Hals hämmerte und ich würgen musste.

»Das ist kein Spiel, glaub mir, Katie!«

Und dann zog er noch ein Stück Schnur heraus und band mich mit einem Fuß am Tisch fest.

Ich habe mich noch nie so ausgeliefert gefühlt – in diesem Augenblick hätte ich lieber hundert Ohrfeigen und gehässige Bemerkungen von Mum einkassiert, wenn ich dadurch von Joe weggekommen wäre.

Und dann entdeckte ich es: Joes Handy. Es steckte hinten in seiner Jeans, in der Gesäßtasche. Ich überlegte fieberhaft. Wenn ich da rankäme und um Hilfe rufen könnte …

Es würde bestimmt nicht einfach werden. Ich musste ruhig bleiben, Joe in dem Glauben wiegen, dass ich wie Wachs in seinen Händen war. Ich musste ihn überzeugen, dass er mich ruhig losbinden könnte. Und dann vielleicht … aber nur vielleicht …

Ich holte tief Luft, damit meine Stimme nicht mehr so zitterte, und sagte: »Okay, du hast Recht! Wir sollten lieber nicht zu Hause aufkreuzen – aber es kann doch nicht schaden, jetzt auf die Farm zu fahren, oder? Da ist doch schließlich kein Mensch, der uns was will, und wir können in aller Ruhe über alles nachdenken und ...«

»Keine Sorge, ich hab schon nachgedacht«, erwiderte er scharf. »Über Mummy und wie gemein sie gewesen ist. Und wie sie leidet, wenn du nicht mehr heimkommst. Mein Dad wollte schon immer, dass meine Mum es mal am eigenen Leib erfährt, wie das ist, wenn man im Stich gelassen wird. Jetzt geht sein Wunsch in Erfüllung. Und darüber wird die Alte nie hinwegkommen.«

»Was redest du da?« Ich hatte mir zwar geschworen, ganz ruhig zu bleiben, aber das konnte ich wohl vergessen. »Was hat denn deine Mutter mit meiner zu tun?«

Darauf erwiderte Joe erst einmal nichts. Er kehrte mir den Rücken zu und starrte aus der offenen Tür hinaus. Das Handy war jetzt quälend nah, aber solange mir die Hände auf dem Rücken zusammengebunden waren, hatte ich keine Chance, es mir zu schnappen.

Dann drehte er sich plötzlich um.

»Du raffst es einfach nicht, was?«, höhnte er.

»Was denn? Was deine Mutter mit meiner zu tun hat? Nein!«

Er hockte sich neben mich, das Gesicht nur Zentimeter von meinem entfernt. Irgendwas war seltsam an ihm, aber ich begriff nicht, was es war.

»Das ist doch ein und dieselbe Person, du blöde Kuh! Deine Mutter ist auch meine Mutter – das AAS!«

Beim letzten Wort hämmerte er mit der Faust an die Wand.

»Ich bin dein Bruder, Katie. Der, den sie im Stich gelassen hat.«

Ich starrte ihn an. Er war komplett durchgeknallt. Außer Tom habe ich keinen Bruder. Dad und Mum mussten heiraten, weil ich unterwegs war. Dad hat es mir erzählt – aber ich darf Mum nicht verraten, dass ich es weiß. Das wäre ihr peinlich.

»Du bist ja verrückt«, flüsterte ich. »Du kannst gar nicht mein Bruder sein...«

»Kann ich wohl!«, schnauzte er mich an. »Meine Mutter ist meinem Dad weggelaufen. Mit dir im Bauch. Mein Dad ist dein Dad – der Kerl, von dem du die ganze Zeit faselst, war nicht dein richtiger Vater!«

Mir stockte der Atem. Meine Kehle war wie zugeschnürt.

»Mein Dad ist jetzt arm und krank und deine Mum ist reich und gesund. Und du...«

Er stieß mir so hart gegen das Bein, dass ich aufschrie.

»Du hattest alles, was ich nicht hatte! Du Aas!«

Er spuckte mir ins Gesicht.

»Aber jetzt«, fuhr er fort, »wirst du gar nichts mehr haben. Und was noch besser ist – *sie* wird demnächst rausfinden, wie es ist, wenn man im Stich gelassen wird!«

»Das ist nicht wahr!«, hörte ich mich schreien, aber dabei hatte ich das Gefühl, ich würde oben auf den Deckenbalken sitzen und auf mich selbst runtergucken. Ich sah mich, wie ich in meinem Zimmer auf dem Fußboden saß, in den Fotoalben blätterte und Fragen stellte.

»Findest du, dass ich Dad ähnlich sehe?«

Als würde meine Mutter neben mir sitzen, hörte ich sie ganz deutlich sagen:

»Warum würdest du aussehen wollen wie der?«

Das ganze Gespräch spulte sich Wort für Wort immer wieder in meinem Kopf ab, wie auf einer Endlosschleife.

»Der hat nix von Liebe verstanden, da kannst du Gift drauf nehmen. Dein Dad doch nicht – der hat ja nicht mal gewusst, wie man jemand lieb hat!«

Und dann kam der allerschlimmste Teil:

»Ich will dir mal eins sagen: Du kommst mit Sicherheit nach deinem Vater. Diesem gemeinen, bösartigen...«

»NEIN!«

Ich weinte gegen die unerträgliche Möglichkeit an, dass Joe vielleicht die Wahrheit sagte. Aber er dachte wohl, ich wollte das nicht wahrhaben.

»Doch!«, brüllte er. »Deine Mum hat mich verlassen. Ein fünfjähriges Kind! Ohne sich auch nur einmal umzudrehen.«

»Du lügst! So etwas hätte sie nie getan! Das denkst du dir aus!«

Ich glaube, ich wollte nicht nur ihn, sondern auch mich selbst überzeugen.

Joe lachte.

»Ich denke mir das aus, ja?« Er ging zum Tisch und wühlte im Karton. »Die Kamera lügt nicht, sagt man doch, nicht?«

Er drückte mir ein Foto in die Hand.

»Ich bin noch mal losgefahren, weil ich das holen wollte – sieh's dir gut an!«

Ich sah es mir an und mir blieb die Spucke weg: Das Bild zeigte meine Mum – jünger, schlanker, aber unverkennbar meine Mutter. Und neben ihr stand ein kleiner blonder Junge in ausgeleierten Shorts und einem Mister-Messy-T-Shirt, der sich an ihrem Rock festhielt.

»Das bist du?« Eigentlich wollte ich es gar nicht wissen.

»Ja, das bin ich. Und das ...«

Er tippte mit dem Finger auf das Foto.

»Das ist meine Mutter! Die Mutter, die ein paar Monate später die Biege gemacht und mich verlassen hat. Kannst du dir vorstellen, wie ich mich dabei gefühlt habe?«

Er fasste mich unters Kinn und funkelte mich böse an. Und da merkte ich, was an ihm anders war. Seine Augen. Sie hatten beide dieselbe Farbe.

Ich blinzelte und sah noch einmal hin. Wie war das möglich? Wie konnten sich seine Augen denn über Nacht verändert haben?

»Deine Augen ...«, fing ich an, doch er ließ mich nicht weiterreden, sondern schleuderte mich an die Wand, zog die Schlinge um meine Handgelenke stramm und stand auf.

»Aber für ihre Gemeinheit wird sie noch büßen.«

Er riss mir das Foto aus der Hand, steckte es sich in die Tasche und wischte sich den Mund mit dem Handrücken ab.

»Weißt du, was ich jetzt mache?«, fragte er und baute sich drohend vor mir auf.

Ich schüttelte den Kopf.

»Meiner lieben *Mummy*...« – das letzte Wort spie er geradezu aus – »...einen Besuch abstatten! Ich gehe zu ihr und weide mich an ihrem Unglück! Was hältst du von meiner Idee, *Schwesterherz*?«

Was er da sagte, machte mich ganz krank. Ich wollte nicht seine Schwester sein, sondern seine Freundin – hatte es zumindest sein wollen. Ich war total durcheinander. Wenn das stimmte, was er behauptete, dann war mein Vater ein Mann, den ich noch nie gesehen hatte.

Und von ihm hatte ich also meine komischen verschiedenfarbigen Augen.

»Was unsere liebe Mutter wohl empfinden wird, wenn ich bei ihr auf der Matte stehe!«

Joes Tirade riss mich in die Gegenwart zurück. Mein Hirn arbeitete auf Hochtouren. Wenn er wirklich vorhatte, nach Hartfield zurückzufahren und Mum zu besuchen, könnte ich ihr vielleicht eine Nachricht zuspielen?

»Aber die Polizei hat doch sicher...?«, fing ich an, weil ich ihn so lange hier festnageln wollte, bis ich mir einen Plan zurechtgelegt hatte.

»Ich hoffe, dass die Polizei da ist, wenn ich komme«, sagte er mit glänzenden Augen. »Und dann komme ich – der Mann, der dir im Co-op-Laden behilflich gewesen ist, ein Handelsvertreter, der zufällig die Suchmeldung im Autoradio mitbekommen hat –

und drücke ihr meine Anteilnahme aus. Und wenn ich bei ihr bin, kann ich ja wohl kaum gleichzeitig bei dir sein, oder? Also habe ich mit deinem Verschwinden rein gar nichts zu tun.«

Er grinste mich an.

»Wenn sie sich irgendwann alles zusammengereimt haben – falls überhaupt –, ist es sowieso schon zu spät.«

Beim letzten Satz überlief mich ein eiskalter Schauer.

»Warte doch!«

Aber es nützte nichts. Er war schon zur Tür hinaus, zog sie hinter sich zu und schraubte die Bretter wieder davor.

»Nein, Joe, geh nicht weg!«, kreischte ich. »Lass mich nicht allein hier!«

»Scheiße!« Der Schraubenzieher hörte auf zu surren. In der Ferne tuckerte irgendwo ein Motor.

Kurz darauf sprang der Landrover an, und Sekunden später wusste ich, dass Joe weg war.

Das tuckernde Motorengeräusch kam näher – ich nehme an, es war ein Trecker. Ich brüllte und schrie und trampelte auf den Boden, aber natürlich hörte mich keiner. Die Hütte liegt gut fünfzig Meter vom Weg ab und Traktorengeräusche übertönen alles andere – und außerdem, wer würde denn schon damit rechnen, dass da irgendwo in der Pampa ein Mädchen an einem Tisch festgebunden ist?

Ich glaube, diesmal will er mich wirklich hier verrecken lassen.

Die Polizei wird mich nie finden.

Egal was Mum getan hat oder was sie mir noch antut – ich will wieder bei ihr sein.

Ich will zu meiner Mum zurück!

Lydia

Sonntag, 1. Juli
18:30 Uhr

*J*etzt brauche ich aber was zu trinken. Ich habe mich wirklich zusammengerissen. Nur hin und wieder mal einen Brandy oder einen kleinen Sherry, seit Katie weg ist, aber nach dem furchtbaren Schock heute Nachmittag habe ich weiß Gott einen Schluck verdient.

Schon bei dem Gedanken daran fange ich an zu zittern. Ich habe mir einzureden versucht, dass alles nur Einbildung ist, aber das stimmt nicht. Es ist wirklich passiert. Natürlich hat es nichts zu bedeuten. Es ist nur einer von diesen schrecklichen Zufällen – wie damals, als man uns eröffnete, dass Tom autistisch ist, und ausgerechnet danach wochenlang in Illustrierten und im Fernsehen von Lernschwierigkeiten und Behinderungen die Rede war.

Ich habe mich mit einer Tasse Tee hingesetzt – so gegen fünf Uhr nachmittags, glaube ich – und eins von den alten Fotoalben durchgeblättert, die ich für die Fernsehleute rausgekramt hatte, als es an der Tür klingelte. Es war zu früh für Grace und Tom – die hatten sich gerade erst auf den Weg zum Spielplatz gemacht –, und ich weiß, dass es albern ist, aber ganz kurz dachte ich, das könnte Katie sein; ich sprang auf, lief zur Tür und riss sie auf.

»Oh Gott!« Das war mir so rausgerutscht, aber ich weiß nicht mehr, ob aus Enttäuschung, weil es nicht Katie war, oder vor

Schreck, weil mich ein vertrautes Gesicht anstarrte. Der Kerl war Ihm wie aus dem Gesicht geschnitten – dasselbe wallende Haar, dieselben hohen Wangenknochen und eckigen Gesichtszüge.

»Hallo, ich bin Joseph!«

Es durchfuhr mich eiskalt. Ich merkte, wie meine Beine unter mir nachgaben, wie ich mich am Türrahmen festhielt, als ob mein Leben davon abhinge.

»Erinnern Sie sich?«

Ich war sprachlos. Einen schrecklichen Augenblick lang dachte ich, die Vergangenheit hätte mich eingeholt.

Er grinste mich an.

»Ich hab Ihnen doch mal eine Flasche Brandy vorbeigebracht – mit Katie zusammen!«

Er beugte sich strahlend näher zu mir. Und da wurde ich ruhiger: Es lag an seinen Augen. Es waren braune, ganz normale braune Augen, wie mindestens eine Million anderer Männer im ganzen Land sie haben. Dann kam er mir wieder in Erinnerung: ein junger Schnösel mit Sonnenbrille, ein Angebertyp.

»Ja, natürlich«, sagte ich schnell. Ich wollte meinen Tee ja nicht kalt werden lassen. »Sie sind doch der Bruder von Katies Schulfreundin?«

»Eigentlich bin ich mehr als das«, erwiderte er lächelnd. »Aber wenn Katie es so ausgedrückt hat...«

Dieses Biest! Aber was macht es jetzt schon, ob sie in den älteren Bruder einer Schulfreundin verschossen ist oder nicht – ich habe ganz andere Sorgen.

»Katie ist leider nicht da...«

»Deswegen bin ich ja hier!«, unterbrach er mich. »Ich habe die Nachrichten gehört und dachte, ich sollte vorbeikommen und Ihnen meine Anteilnahme ausdrücken.«

Er rückte mir dicht auf die Pelle, berührte mich sogar am Arm. Sein Aftershave wehte mich an – es war einer von diesen Gerüchen, die man von irgendwoher kennt, auch wenn man nicht mehr weiß, woher.

»Sie müssen krank vor Sorge sein?«

»Ja«, sagte ich und nickte. »Ich kann nicht essen, nicht schlafen...«

»Gut so!«, erwiderte er. Komisch, dachte ich, aber er meinte wohl, dass es manchen Müttern völlig schnurz ist, was ihre Kinder machen.

»Aber ich muss stark bleiben«, fuhr ich fort. »Sie kommt wieder, das weiß ich, und...«

»Und wenn nicht?«, fiel er mir ins Wort. »Was wäre, wenn sie nie mehr zurückkommt? Wie würden Sie sich dann fühlen?«

Was erlaubte sich der Kerl eigentlich?

»Sie kommt wieder«, sagte ich und versuchte verzweifelt, die Tränen zurückzuhalten. »Die Polizei sucht nach ihr...«

Aber dann brach ich ab, weil genau in dem Moment Grace mit Tom am Gartentor ankam. Ich wollte nicht, dass sie mich in einem so aufgelösten Zustand sah. Die Frau hat wirklich Adleraugen.

»Sie müssen entschuldigen«, sagte ich zu Joseph, »mein Sohn ist zurück.«

Die meisten Leute hätten den Wink verstanden, aber dieser Joseph blieb einfach stehen, obwohl er es später wahrscheinlich bereute, nicht gleich verschwunden zu sein.

»Na los, lauf zu Mum!«, sagte Grace, als sie das Tor öffnete. Tom hat nämlich für alles ein bestimmtes System. Normalerweise geht er langsam den Gartenweg entlang, bleibt am Rosenbusch stehen und schnuppert an jeder einzelnen Rose (was echt nervtötend sein kann, wenn es aus Eimern schüttet), umrundet zweimal die zerbrochene Steinplatte und läuft dann erst ins Haus. Aber heute nicht.

Er blieb wie angewurzelt stehen, als er Joseph sah, und fing an zu schreien. Und dann benahm er sich ganz anders als sonst mit Fremden. Er ging nicht etwa ein paar Schritte zurück, wie ich es erwartet hätte, sondern rannte einfach an uns beiden vorbei ins Haus und die Treppe hoch. Dann lief er von einem Zimmer ins andere und knallte die Türen zu.

»Ich muss jetzt rein…«, begann ich, aber bevor ich den Satz beendet hatte, war Tom wieder da. Er ließ sich neben Joe auf den Boden fallen und fing an, mit den Fäusten auf ihn einzuschlagen.

Und dann hat er ihn gebissen.

Joseph hat gut reagiert, das muss ich ihm lassen. Er zuckte nur leicht zusammen und fluchte leise, während ich mich entschuldigte und versuchte, Tom von ihm wegzuziehen. Aber der arme Junge geriet in einen seiner ganz schlimmen Zustände, wälzte sich hin und her, kreischte und stöhnte laut. Er war überhaupt nicht zu beruhigen und ließ mich einfach nicht an sich ran.

»Du kannst ruhig gehen!«, rief ich Grace zu. »Ich werd schon mit ihm fertig.«

Mir war nicht entgangen, wie sie Joseph von Kopf bis Fuß musterte, und wollte sie loswerden. Ich bin ihr ja unheimlich dankbar für alles, aber manchmal kommt man besser klar, wenn man keine Zuschauer hat.

»Ich schau später noch mal vorbei!«, rief sie.

Und das wird sie bestimmt auch tun.

»Dann überlass ich Sie mal ganz Ihrem kleinen Sohn«, hörte ich Joseph sagen – und bekam den Schock meines Lebens. Ich muss mir nachschenken, weil ich schon beim Gedanken daran wieder einen Flattermann kriege.

»Ich will Sie wirklich nicht weiter aufhalten«, fügte er noch hinzu und fummelte an seinen Augen herum. Ich dachte, ihm wäre was reingeflogen, oder sie würden ihm vor Schmerzen tränen, weil Tom ihn gebissen hatte. Männer können in der Beziehung ja sehr empfindlich sein.

»Auf Wiedersehen, Katies Mum!«

Bei diesen Worten nahm er die Hände vom Gesicht und mir blieb die Spucke weg. Er starrte mich mit weit aufgerissenen Augen an, aber die waren nicht mehr braun. Eins war grün und das andere grau. Wie bei Ihm – und dem Kleinen.

Er lächelte mich an und schnipste zwei Kontaktlinsen von seinen Fingerkuppen in das Blumenbeet unter dem Wohnzimmerfenster.

Tom schrie immer noch, aber jetzt klang es wie aus weiter Ferne. Ich spürte, wie sich alles um mich herum drehte, und nahm all meine Kraft zusammen, um ruhig zu bleiben.

»Ich muss reingehen.« Meine Stimme klang brüchig und verzerrt. »Tom braucht sein Abendbrot.«

»Ganz recht«, antwortete Joseph. »Kümmern Sie sich um ihn.«
Dann machte er noch einen Schritt auf mich zu.

»Wissen Sie, manche Mütter lassen ihre Kinder einfach im Stich und kommen nie wieder nach Hause.«

Und da wäre ich beinahe abgedreht. Er war es. Oder wenigstens habe ich das in meiner panischen Angst geglaubt. Nachdem ich jetzt Zeit hatte, über alles nachzudenken, sage ich mir, dass das nicht sein kann, dass es nun mal die verrücktesten Zufälle gibt, aber in dem Moment war mir speiübel vor Angst. Wem wäre es an meiner Stelle nicht so gegangen? Der Kerl hieß Joseph, er hatte die Augen – und das richtige Alter. Aber dann fiel mir wieder ein, dass Katie mir erzählt hatte, er wäre der Bruder von einer Schulfreundin, und an dem Gedanken hielt ich mich fest.

»Ich muss jetzt los«, erklärte er. »Ich habe eine lange Fahrt vor mir.«

Er drehte sich um, ging zum Tor und blieb dort noch einmal stehen.

»In ein paar Tagen komme ich wieder«, sagte er lächelnd. »Um zu sehen, wie Sie dann damit fertig werden!«

Erst viel später, als ich die Tür zugemacht, Tom geknuddelt und neuen Tee gekocht hatte, ging mir auf, dass er so geredet hatte, als ob Katie bis dahin nicht zurück wäre. Als ob er damit rechnete, mich bei seinem nächsten Besuch in einem noch schlimmeren Zustand vorzufinden.

Es dauerte eine Ewigkeit, bis ich Tom beruhigt hatte. Ich sang ihm etwas vor, wiegte ihn, machte ihm sogar ein Brot mit Nutella, was er sonst so gern isst, aber er warf es einfach auf den Fußboden. An manchen Tagen frage ich mich, wie lange ich diesen Stress mit ihm und seinen Zuständen noch durchhalte.

Hoffentlich ist Katie nicht in diesen Joseph verliebt. Was, wenn er wirklich ihr... aber das ist albern. Natürlich nicht. Wenn die beiden wirklich was miteinander hätten, wäre er bestimmt viel beunruhigter und nicht so... so cool. Hoffentlich nutzt er sie nicht aus.

Gerade ich muss das sagen. Ich habe Jarvis ausgenutzt. Ich habe immer herumgetönt, er wäre meine große Liebe, aber das stimmt gar nicht. Ja, klar, ich habe ihn schon lieb gewonnen. Man lebt nicht mit jemandem zusammen und hat ein Kind mit ihm, ohne dass sich Gefühle entwickeln. Aber als ich ihn geheiratet habe, war ich nur erleichtert. Erleichtert darüber, dass mein Baby einen Vater hatte – einen Dad, dem ich einreden konnte, das Kind wäre von ihm.

Schon bei unserer ersten Begegnung merkte ich, dass Jarvis ein ernsthafter Kandidat war. Ein paar Freundinnen von mir hatten mich in eine Disko ausgeführt. Mein Fiesling von Ehemann war mit seinen Kumpels das ganze Wochenende auf Sauftour, sonst wäre ich nie mitgegangen. Er konnte es nämlich nicht ertragen, wenn ich mich mal ohne ihn amüsierte. Und eigentlich war ich gar nicht gut drauf. Meine Periode war zehn Tage überfällig, und ich wusste ziemlich genau, warum. Ich ging nur mit, weil ich mich ablenken wollte.

Ich hatte schon ein paar Drinks intus. Als Jarvis mich dann zum Tanzen aufforderte, legte ich eine richtig heiße Sohle hin. Am Ende des Abends knutschten wir schon rum. Er sagte mir, ich sei wunderschön, und fragte, ob er mich wieder sehen dürfte.

Klar, ich hätte Jarvis gleich von Ihm erzählen müssen und von dem Kleinen – aber ich wollte nicht. Ich wollte geliebt werden, bewundert, begehrt. Also sagte ich Ja. Schon beim ersten Wiedersehen führte eins zum andern und wir haben miteinander geschlafen. Zum Glück. So konnte ich Jarvis leichter einreden, dass Katie von ihm wäre – außerdem sieht sie mir total ähnlich, abgesehen von den Augen natürlich.

Ich darf nicht an die Augen denken. Joseph hat die Augen und den Namen und die Statur und alles. Er war es. Nein, er war es nicht. Ich darf mir das nicht einreden, sonst werde ich noch verrückt.

Aber er hat etwas über Mütter gesagt, die …

Ich darf nicht in der Vergangenheit herumwühlen. Das tut mir nicht gut. Ich brauche noch einen Drink, bevor die Polizei kommt. Ein Schlückchen mehr wird mir schon nicht schaden. Nur zur Beruhigung.

Dann mache ich Tom das Abendbrot.

Obwohl er in diesem Zustand bestimmt nicht einen Bissen essen wird.

Nachrichten auf
Channel Four

1. Juli
19:00 Uhr

»Lydia Fordyce, die Mutter der vermissten Schülerin Katie Fordyce aus Northampton, wandte sich heute übers Fernsehen an ihre Tochter und bat sie, wieder nach Hause zu kommen. Die Polizei nimmt mittlerweile an, dass Katie nach einem Streit mit ihrer Mutter weggelaufen ist. ›Katie denkt vielleicht, dass ich ihr böse bin‹, sagte Mrs Fordyce zu Reportern, ›aber ich will doch nur, dass sie wohlbehalten zurückkommt.‹ Katie trug am Tag ihres Verschwindens silberne Turnschuhe wie die auf dem hier gezeigten Foto. Hinweise erbittet die Polizei von Northamptonshire unter der Nummer 0 16 04 / 70 07 67.«

Katie

Sonntag, 1. Juli
19:30 Uhr

*I*ch habe mir in die Hose gemacht. Eigentlich musste ich schon seit Stunden, konnte es mir aber verkneifen, weil ich dachte, Joe würde vielleicht doch bald kommen und mich losbinden. Irgendwann muss ich eingeschlafen sein – mir war zunehmend schwindeliger geworden und die Augen fielen mir immer wieder zu.

Jedenfalls bin ich plötzlich hochgeschreckt und war ganz nass. Meine Hände sind ja gefesselt, also kann ich mir nicht mal den Schlüpfer ausziehen. Ich fühle mich so schmutzig.

Mir ist so übel.

Ich habe solche Angst.

Mein Hals tut mir weh vom vielen Schreien und meine Augen brennen vom Weinen. Ich weiß nicht, worüber ich mehr weinen musste – dass ich hier gefesselt bin oder dass mein Dad – der Mann, den ich dafür gehalten habe – nicht mein Vater ist. Ich muss unentwegt darüber nachgrübeln. Warum hat mir keiner was gesagt? Warum hat Mum Joes Vater verlassen? Ich kann mir keinen Fremden als Vater vorstellen; irgendwie geht das nicht in meinen Kopf.

Joe ist also mein Bruder. Unsere Gene sind mehr oder weniger die gleichen – das haben wir alles in Bio durchgenommen, Genetik und DNS und so weiter. Ich hatte oft gedacht, wie cool es doch wäre, einen großen Bruder zu haben, damit ich nicht immer

die vernünftige große Schwester sein muss. Aber doch nicht so –
das ist ja abartig!

Ich darf nicht daran denken. Was ich jetzt brauche, ist ein guter Fluchtplan. Wenn Joe wiederkommt – und daran muss ich glauben, sonst flippe ich aus – werde ich versuchen, ihn dazu zu bringen, dass er mit mir nach draußen geht. Nur dann kann ich meinen Plan in die Tat umsetzen. Große Chancen, dass es klappt, habe ich nicht, aber ich muss es zumindest probieren. Joe hasst Mum und das sollte ich irgendwie ausnutzen. Ich habe es in Gedanken immer wieder durchgespielt, und ich glaube, ich könnte es schaffen.

Bitte, lieber Gott, hilf mir! Wenn du mich hier rausholst, werde ich alles tun, was du willst. Das schwöre ich.

Bitte hilf mir.

Lydia

Montag, 2. Juli
2:00 Uhr

*K*atie! Katie! Komm zurück! Ich bin hier!

Wer? Was?

Ach, sie ist gar nicht da. Ich habe geträumt. Nur einen Augenblick…

Katie, Katie – wo bist du? Wie geht's dir? Hast du Angst?

Diese Katastrophe ist ganz allein meine Schuld. Dabei habe ich alles doch nur für dich getan. Nur deinetwegen habe ich den Mut aufgebracht, Ihn und den Kleinen zu verlassen. Ich musste dich vor Ihm schützen – deshalb bin ich gegangen, denn einen anderen Ausweg gab es nicht. Und den Jungen konnte ich nicht mitnehmen. Erstens hat Er ihn vergöttert, und zweitens habe ich es nie geschafft, eine richtige Beziehung zu dem Kleinen aufzubauen. Er hat sich immer gegen mich gesperrt.

Die ganze Nacht habe ich mich im Bett herumgewälzt und mich gefragt, warum ich Katie nicht die Wahrheit sagen mochte. Sie ist doch alt genug – warum ist mir alles so verquer rausgerutscht? Warum habe ich als Mutter so sehr versagt?

Lieber Gott, bitte mach, dass ihr nichts passiert. Ich werde sie auch nie mehr anschreien. In Zukunft darf sie tun und lassen, was sie will, wenn sie nur heil wiederkommt. Sie darf sich alberne Turnschuhe kaufen und scheußliches Parfüm tragen…

Oh Gott! Das war es. Das Parfüm. Das war der Geruch. Ich wusste doch, dass der mich an etwas erinnert. Joseph roch nach diesem ordinären Duft, mit dem Katie damals von Kopf bis Fuß eingesprüht war ...

Und wenn ... Nein, das ist Blödsinn. Aber wenn sie sich immer noch mit ihm trifft? Wenn die beiden zusammen sind?

Morgen früh muss ich als Erstes die Polizei anrufen und ihnen sagen, dass ein junger Mann zu mir gekommen ist, der ...

Nein.

Dann könnte ja alles rauskommen. Und natürlich ist Joseph ja gar nicht DER Joseph, das ist doch gar nicht möglich!

Reiner Zufall.

Guck dich mal an, Lydia Fordyce. Betrachte dich im Spiegel. Sieh den Tatsachen ins Auge. Hör auf, alles zu verdrängen. Er ist es. Und das weißt du auch. Du bist seine Mutter – mach dir nicht länger was vor!

Und wenn Katie jetzt tatsächlich bei ihm ist? Wenn er ihr erzählt hat, dass ... Oder wenn er was mit ihr angestellt hat ...

Ich werde die Polizei anrufen. Es ist mir schnurz, was sie herausfinden.

Ich will nur, dass meine Katie wieder zu mir nach Hause kommt.

Tom

Montag, 2. Juli
9:30 Uhr

*M*eine Lehrerin redet, aber ich seh sie nicht an. Ich will nichts sehen. Ich will auch nicht sprechen. Ich halte mir die Augen zu, damit mich niemand sieht.

»Sollen wir über Katie reden, Tom?«

Katie. Katie ist weg.

»Hat Katie dir schöne Geschichten erzählt, Tom?«

Die Lehrerin will mir die Hände vom Gesicht ziehen, aber ich bin stärker als sie.

»Hat Katie gesagt, wo sie hinwollte?«

In den Wald. Auf die Farm. Wo die Füchse sind.

»Sollen wir ein Bild malen, Tom? Wenn du ein schönes Bild malst, bekommst du auch einen Schokololli.«

Ich höre, wie sie mir Papier über den Tisch schiebt, dann fallen die Filzstifte aus dem großen Kasten.

Aber ich sehe die Lehrerin nicht an.

»Wenn wir wüssten, wo Katie hinwollte, können wir sie da suchen und nach Hause holen«, sagt sie.

Katie soll nach Hause kommen.

Ich mache ein Auge auf.

Beim Malen muss man die Augen offen haben, aber ich mach nur eins auf.

»Wo wollte Katie hingehen, Tom?«

Auf die Farm mit dem Joe. Ich male Katie. Joe geht neben ihr.

Und Füchse.

Ich weiß, wie Füchse aussehen. Aus dem Fernsehen. Ich fahre zur »Fox-Farm«, hat sie gesagt. Auf einer Farm leben Tiere.

Ich kann viele Tiere malen. Ich brauche mehr Papier.

Aber das andere Auge mache ich nicht auf. So gefällt es mir besser.

Lydia

Montag, 2. Juli
11:00 Uhr

*I*ch hätte nicht gedacht, dass es noch schlimmer kommen könnte. Aber das war ein Irrtum. Ich wusste, dass ich ein ganz neues Fass aufmachen würde, wenn ich die Polizei anrief und von Joseph und dem Parfüm erzählte, aber alles Weitere hätte ich mir nicht träumen lassen.

Sie sagen, sie tun, was in ihrer Macht steht.

Und sie sehen mich dabei immer so komisch an, was ich ihnen nicht verdenken kann. Die finden mich bestimmt genauso widerlich, wie Katie mich findet.

Brenda ist mit einem Inspektor erschienen, den ich noch nie gesehen habe. Kaum waren sie aus dem Wagen gestiegen, kam auch schon Grace vorbei. Sie tat, als wollte sie mir nur ein paar Kekse vorbeibringen, aber wahrscheinlich ging es ihr vor allem um die neuesten Informationen. Manchmal kann sie furchtbar neugierig sein. Angeblich wollte sie gleich wieder los, doch dann schlug der Inspektor vor, eine Tasse Kaffee zu trinken, und das lieferte ihr den Vorwand zu bleiben.

Natürlich wollte die Polizei alles über Joseph wissen. Ich habe ihnen erzählt, dass er einmal mit Katie hier war. Den Brandy ließ ich allerdings weg, weil sie das nur in den falschen Hals gekriegt hätten. Ob er Katies Freund wäre, fragten sie. Bei dem bloßen Gedanken daran wurde mir schon wieder übel. Ich war drauf und dran zu fragen, woher ich das denn wissen soll, aber das hätte ja bedeutet, dass ich eine schlechte Mutter bin. Deshalb habe ich gesagt, er wäre der Bruder von Katies Schulfreundin, und Katie hätte sich ein bisschen in ihn verliebt.

»Das könnte ein außerordentlich wichtiger Anhaltspunkt sein«, erklärte der Polizeiinspektor. »Wir werden sofort die Fahndung einleiten, und jetzt möchte ich, dass Sie mir alles – aber wirklich absolut alles – erzählen, was Ihnen zu dem jungen Mann einfällt.«

»Also, er ist ziemlich groß, blond, hat braune Augen…«

Ja, ich weiß. Aber ich konnte es nicht sagen. Es ging einfach nicht.

Und dann fing Brenda natürlich von dem Parfüm an. Sie stellte mir immer wieder dieselben Fragen. Es war genau wie nach Jarvis' Tod. Irgendwann möchte man diese Typen am liebsten nur noch schütteln. Jedenfalls habe ich ihr noch einmal erzählt, dass Katies Freundin sie damit eingesprüht hatte, aber dann meinte Brenda, vielleicht wäre Katie da nicht ganz ehrlich gewesen. Vielleicht hätte sie sich das Parfüm selbst gekauft, aber Angst gehabt, mir zu beichten, dass sie ihr Taschengeld für so etwas ausgegeben hatte.

»Sehen wir mal in ihrem Zimmer nach«, schlug Brenda vor. »Wenn die Flasche noch da ist, könnte uns das weiterhelfen.«

Ich wollte nicht in Katies Zimmer. Seit sie weg ist, war ich nur ein- oder zweimal drin. Ich halte es nicht aus, das unberührte Bett zu sehen, die ungewohnte Ordnung. Aber schließlich bin ich doch mit Brenda hochgegangen und habe Katies Kommode durchsucht. In einer Schublade habe ich die Flasche *Anaïs Anaïs* gefunden, die ich ihr zu Weihnachten geschenkt hatte – eigentlich genau das Richtige für ein Mädchen in ihrem Alter –, aber sonst nichts.

Ich wollte schon wieder aus dem Zimmer gehen, als Brenda die Tür vom Kleiderschrank aufriss und sagte, ich sollte mal reinriechen. Ich kam mir richtig blöd vor, aber auf einmal stieg mir der Duft in die Nase. Ich schnappte mir Katies Angorapulli und schnupperte noch einmal. Ja, das war's!

»Den nehmen wir mit, wenn du nichts dagegen hast!«, sagte Brenda. »Es könnte eine Spur sein – wer weiß.«

Ich brach in Tränen aus. Weil ich Katies Kleider sah und ihren Duft roch und befürchten musste, dass sie vielleicht nie wieder heimkommen würde.

Brenda gab mir ein Taschentuch.

»Und was ist mit Bargeld?«, fragte sie. »Hat Katie vielleicht etwas mitgenommen?«

»Sie hat ein Sparbuch«, erzählte ich ihr. »Das müsste hier in der Kommode liegen.«

Brenda suchte die Schublade durch. »Hier ist es!«

Sie zog das Buch heraus und blätterte darin.

»Lydia«, sagte sie leise, »letzten Donnerstag hat Katie hundertfünfzig Pfund abgehoben. Damit ist die Sache doch wohl klar, oder?«

Sie setzte sich neben mich auf das Bett.

»Katie ist ausgerissen«, sagte sie. »Wir müssen bloß noch rauskriegen, wohin.«

Ich schluchzte hemmungslos.

»Aber ihr werdet sie doch finden?«

»Wir tun unser Bestes. Das größte Problem ist, dass Katie vielleicht nicht gefunden werden will. Das erschwert uns die Suche erheblich.«

Ich wusste, dass sie Recht hatte. Und dass ich ganz allein schuld bin, wenn man Katie nie findet.

Ich wollte nur noch sterben.

Aber schließlich habe ich mich doch zusammengerissen und bin wieder nach unten gegangen, wo ich gleich auf den Inspektor traf, der hektisch in sein Handy quasselte.

»Eine gute Nachricht!«, sagte er auf dem Weg ins Wohnzimmer. »Unsere Kollegen in Sussex haben den Wagen gefunden!«

»Was für einen Wagen?« Ich war so durcheinander, dass ich gar nicht schaltete.

»Das Fahrzeug, in das Katie laut Zeugenaussage eingestiegen ist«, erinnerte er mich. »Ein Farmer hat es an einem Steinbruch stehen sehen, der an sein Land angrenzt. Am nächsten Tag war es verschwunden. Aber wir haben die Autonummer und fahnden jetzt nach dem Halter des Wagens.«

Mein Herz tat einen Riesensatz.

»Glauben Sie, dass Sie sie bald finden?«

»Wir tun, was wir können«, versicherte mir der Polizist und setzte sich in Jarvis' Sessel. »Aber wir hätten da noch ein paar Fragen zu klären...«

Draußen quietschten Bremsen. Ich stürzte ans Fenster – jedes Geräusch weckt Hoffnung in mir... Doch es war wieder nicht meine Katie, sondern ein zweiter Streifenwagen. Und darin saß Tom mit Mrs Ostler, seiner Lehrerin.

Der Anblick ging mir bis in die Magengrube. Ich vermutete, dass Tom mal wieder einen von seinen schlimmen Anfällen gehabt hatte.

»Keine Angst, Lydia!« Brenda sprang vom Stuhl auf und stellte sich neben mich. »Mein Kollege hat Mrs Ostler hergebeten. Anscheinend weiß sie etwas Wichtiges.«

Doch ihr Ton verriet mir, dass sie das selbst bezweifelte.

»Mit Tom ist alles in Ordnung!«, sagte Mrs Ostler in beruhigendem Ton, als ich ihr die Tür öffnete. Sie schob meinen Sohn vor sich her, aber er drehte den Kopf weg, wiegte sich hin und her und schlug gegen die Wand. Manchmal wünscht man sich wirklich, man könnte ihn einfach in den Arm nehmen wie einen ganz normalen kleinen Jungen.

Mrs Ostler strich mir über die Schulter.

»Tut mir Leid – ich habe die Polizei verständigt, weil...«

Sie zögerte und sah den Inspektor an, der ihr die Hand schütteln wollte.

Er nickte ihr eindringlich zu – offenbar sollte sie gleich loslegen.

»Diese Bilder hat Tom gemalt.« Sie drückte mir einen ganzen Stapel Papier in die Hand.

Ich traute meinen Augen nicht. Auf jedem Bild war Katie zu sehen. Katie mit ihren silbernen Schuhen, Katie mit einer Reisetasche, und dann stockte mir der Atem. Katie mit Joseph. Tom hat Joseph zwar nur zweimal gesehen, aber man konnte ihn deutlich erkennen. Die Sonnenbrille, das wallende Haar, und auf einem Bild hielt er sogar die Flasche in der Hand, die er für mich gekauft hatte.

»Erst am Wochenende, als die Suchmeldung ins Fernsehen kam, habe ich angefangen, mir Gedanken zu machen«, begann Mrs Ostler. »Aber schon am Freitag war Tom sehr unruhig und da hat er das hier gemalt – sehen Sie?«

Sie tippte auf ein Bild, das Katie mit einem schwarzen Müllsack zeigte.

»Erst habe ich mir nichts dabei gedacht«, entschuldigte sie sich bei Brenda. »Er malt ja oft Bilder von Katie oder seiner Mutter – das war nichts Ungewöhnliches.«

»Natürlich nicht«, bestätigte diese und lächelte, wahrscheinlich um Mrs Ostler zu zeigen, dass sie sich keine Vorwürfe machen musste.

Toms Lehrerin erwiderte das Lächeln dankbar.

»Aber dann hat er heute Morgen das alles gemalt!«

Sie ging den Stapel durch. Auf einem Bild stand Katie zwischen lauter Tieren. Joseph war nur am Rand zu sehen, umringt von kleinen roten Füchsen. Auf einem anderen Bild waren viele Bäume und Katie saß in der Mitte auf einem Teppich.

»Ich glaube«, sagte die Lehrerin zu den beiden Polizisten, »Tom versucht, uns etwas mitzuteilen.«

Brenda ging zu ihm hin und strich ihm über die Schulter.

»Tom? Weißt du…«

Weiter kam sie nicht, denn Tom brüllte los.

»Sie dürfen ihn nicht anfassen!«

Mrs Ostler zog sie von Tom weg, der sich sofort auf den Boden warf und um sich trat.

»Er erträgt es nicht, wenn man ihn berührt«, erklärte sie. »Lassen Sie ihn einfach in Ruhe, okay?«

»Aber wenn er doch etwas weiß…«

»Dann kann er es uns trotzdem nicht in Worten sagen«, erwiderte die Lehrerin in lautem Ton, um Toms Kreischen zu übertönen. »Er beherrscht diese Art von Kommunikation nicht. Und wenn man ihn berührt, schaltet er einfach ab und zieht sich in seine geschlossene kleine Welt zurück.«

Sie drückte Brenda das Bild in die Hand.

»Aber das hier kann er! Sehen Sie?«

Brenda warf einen Blick auf die Zeichnung.

»Sehen Sie… Katie mit den silbernen Schuhen, die haben wohl großen Eindruck auf ihn gemacht. Und Katie mit diesem Jungen – das muss jemand sein, den Tom kennt.«

»Joseph!«

Ich weiß nicht, ob Brenda oder ich den Namen zuerst ausgesprochen hatte, denn in diesem Moment klingelte das Telefon. Ich riss den Hörer hoch – ich bete ja jedes Mal darum, dass es Katie ist.

»Bist du's, Lydia?«

Mir blieb die Luft weg. Ich fühlte mich viele Jahre zurückversetzt. Ich glaube, ich duckte mich sogar automatisch beim Klang dieser Stimme, obwohl sie nur am anderen Ende der Leitung war. Meine Hand tastete nach irgendeinem Halt und dabei muss ich eine Blumenvase vom Tisch gefegt haben.

»Du hast wohl gedacht, dass du ungeschoren davonkommst, Lydia?« Sogar der Tonfall war unverändert. »Hast gedacht, du könntest mich und Joe einfach im Stich lassen. Aber ich habe einen langen Atem…«

»Nein! Bitte! Ich…«

Brenda stürzte zu mir. Alle starrten mich an.

»Wer ist das?«, fragte sie tonlos.

Ich brachte kein Wort mehr heraus. Ich konnte mich nicht rühren. Konnte nur dastehen und zuhören.

»Und jetzt schaffst du es nicht mal, auf das Kind aufzupassen, das du so unbedingt behalten wolltest!« Die Stimme wurde immer höhnischer. »Aber unsere Tochter ist weg, Lydia. Ein Kind hast du ja schon aufgegeben. Jetzt haben wir dafür gesorgt, dass du auch das zweite verlierst. Katie ist weg – für immer. Du hast sie verloren!«

Ich hörte ein schrilles Kreischen und merkte erst mit Verzögerung, dass es von mir kam.

»Den Anruf zurückverfolgen – SOFORT!« Die Stimme des Inspektors hallte mir wie aus einem langen Tunnel entgegen. Und dann wurde mir schwarz vor Augen.

Irgendwann bin ich wieder zu mir gekommen. Als Erstes hörte ich Tom unaufhörlich jammern und mit den Füßen gegen den Kamin trampeln. Ich lag auf dem Fußboden und hatte zunächst Mühe, mich wieder zu orientieren. Brenda beugte sich über mich und Grace hielt mir ein Glas Wasser an die Lippen.

Doch plötzlich erinnerte ich mich wieder an alles und fing an, zu zittern und mit den Zähnen zu klappern. Mir war hundeelend.

»Lydia, du hast einen Schock!«, erklärte Brenda. »Wer war das eben am Telefon? Es ist wahnsinnig wichtig! Wer war das?«

»Er«, stieß ich hervor, bevor ich dermaßen würgen musste, dass ich mich hochrappelte, um mich nicht gleich auf dem Teppichboden übergeben zu müssen.

»War es Joseph?«

Die Stimme des Inspektors klang drängend.

Ich schüttelte den Kopf.

»Nein, nicht Joseph«, krächzte ich. »Das war mein Mann.«

Grace tätschelte mir die Hand.

»Aber Lyddy, du bist ja total durcheinander. Jarvis ist tot. Das weißt du doch?«

Trotz meiner Benommenheit bekam ich mit, dass sie das Wort »Selbstmord« hauchte.

»Ja, Jarvis ist tot«, wiederholte ich. »Aber mein Mann – mein erster Mann – lebt noch. Und er hat Katie entführt – das ist mir jetzt sonnenklar!«

Dann musste ich ins Bad rennen. Ich kotzte mir schier die Seele aus dem Leib. Bei jedem neuen Schwall tauchte Nathans Gesicht vor mir auf und ich konnte wieder seine Fäuste spüren. Selbst als ich es endlich schaffte, aufzustehen und mir den Mund am Handtuch abzuwischen, hörte ich noch seine Stimme in meinem Kopf:

»Du blöde Kuh – du taugst zu nichts!«

Ich kann nicht ewig auf dem Klo bleiben. Brenda hat schon zweimal an die Tür geklopft und gefragt, ob alles okay ist, und ich weiß, dass sie nicht weggehen werden, bevor ich ihnen auch den Rest erzählt habe. Ich höre, wie sie sich über den Anruf unterhalten. Dass er von einem Handy kam. Und dass sie die Erlaubnis von ihrem Vorgesetzten einholen müssen, bevor sie weitere Nachforschungen anstellen können. Wenn sie das machen, werden sie alles herausfinden. Alles, was ich getan habe.

Ich muss mich damit abfinden, dass mein Geheimnis ans Tageslicht kommt. Das Geheimnis, das ich fünfzehn Jahre lang gehütet habe. Fünfzehn Jahre, in denen ich alle Orte gemieden habe, wo Er auftauchen könnte. Fünfzehn Jahre voller Lügen und Heuchelei und Beten, dass die Fassade hält.

Aber Gott hat doch immer das letzte Wort.

Jetzt muss ich dafür geradestehen. Es ist so weit.

Ich muss ihnen die ganze Wahrheit über Joseph erzählen.

Katie

Montag, 2. Juli
11:30 Uhr

Er ist zurück. Ich höre den Landrover über den unebenen Boden rumpeln und anhalten.

Ich muss das jetzt richtig anpacken. Es muss klappen.

Es ist meine letzte Hoffnung.

Ich höre die Wagentür zuknallen. Er kommt.

Bitte, lieber Gott, lass es gut gehen.

Der Schraubenzieher surrt, und die Tür vibriert, während Joe alle Schrauben herausdreht. Dann springt die Tür auf und Sonnenlicht flutet herein.

»Joe, wie schön, dass du wieder da bist! Ich habe mir schon solche Sorgen gemacht!«

Er kommt näher.

»Sie macht sich auch Sorgen – unsere Mutter! Es tat richtig gut, sie so aufgelöst zu erleben.«

Einen Moment lang vergesse ich meine Fluchtpläne.

»Du hast sie gesehen? Wie geht es ihr?«

»Wie es ihr geht? Gar nicht gut – sie war ganz aus dem Häuschen!« Er lächelte selbstgefällig, als ob er was richtig Tolles zustande gebracht hätte. »Und jetzt macht sie sich bestimmt noch mehr Sorgen. Ich wette, sie hockt da und hat wahnsinnige Angst, dass ihre dunkle Vergangenheit ans Licht kommt.«

Ich spüre, wie mir die Tränen in die Augen steigen. Meine Kehle ist wie zugeschnürt. Ich schlucke schwer. Ich muss ruhig bleiben.

»War Tom auch da?«

»Oh ja – und ob! Der Junge ist wohl total plemplem, was?«

Ich will ihn schon anschreien, dass Tom nichts für seine Behinderung kann, aber ich verkneife es mir gerade noch.

»Das kleine Balg hat mich sogar gebissen! Hätte ich nicht den teilnahmsvoll-besorgten Besucher markieren müssen, dann hätte er sich was von mir eingefangen, das kann ich dir garantieren! Aber ich bin einfach gegangen – und habe versprochen, wieder zu kommen.«

Er kostet jedes einzelne seiner Worte aus. Ich kann ihn direkt vor mir sehen, wie er durch unseren Garten geht und ...

»Sag mal«, erwidere ich, verzweifelt bemüht, mit meiner nächsten Frage nicht zu viel Interesse zu verraten, »wie hat Tom denn auf deinen Landrover reagiert? Er hat nämlich einen richtigen Autofimmel.«

Ich halte den Atem an. Es hängt so viel davon ab. So viel.

»Ich bin doch nicht blöd!«, meint Joe lachend, und meine letzte Hoffnung schwindet dahin.

»Als ob ich da mit dem Landrover vorfahren würde! Sodass alle Welt mich sehen kann! Nein, ich bin bis Three Bridges gefahren und dort in den Zug gestiegen. Erst in den City Flyer nach Bedford und dann in den Intercity nach Kettleborough – da verschwindet man in der Menge! Ganz schön clever, was?«

Also hatte kein Auto vor der Tür gestanden, das Mum hätte auffallen können, vorausgesetzt sie wäre nicht zu betrunken gewesen, um überhaupt etwas zu merken. Ich spüre, wie mich die Panik ergreift. Mein Plan muss unbedingt funktionieren. Wenn ich hier jemals rauskommen will, muss ich jetzt aufs Ganze gehen.

»Joe, ich habe Angst«, sage ich. »Irgendwer war hier!«

Obwohl es hier drin fast dunkel ist, kann ich sein Gesicht erkennen. Er sieht erschrocken aus. Das ist gut.

»Was soll das heißen?« Er packt mich an der Schulter. »Wer war hier?«

»Zwei Männer«, lüge ich. »Jedenfalls glaub ich, dass es nur zwei waren – vielleicht ja auch mehr. Ich habe ein Auto kommen hören, und dann Stimmen, und dann sagte der eine Mann, es würde so aussehen, als ob sich jemand an der Tür zu schaffen gemacht hätte.«

Joe kriegt eine Heidenangst. Genau nach Plan.

»Verdammt noch mal, warum hast du das nicht gleich gesagt? Du hast doch hoffentlich keinen Mucks von dir gegeben?«

Ich schüttle den Kopf.

»Du hast mir ja genau erklärt, wie ich mich verhalten muss«, erinnere ich ihn, mime die Ahnungslose. »Aber es hat mich doch ziemlich gestresst, weil ...«

Ich mache eine Pause.

»Weil ...?«

»Weil sie davon gesprochen haben, dass sie die Polizei verständigen wollen, damit die hier mal nach dem Rechten sieht!«

Mit angehaltenem Atem warte ich auf seine Reaktion.

»Verdammte Scheiße!«

Er tigert auf und ab und schlägt sich mit der Faust an den Kopf. Das erinnert mich daran, wie Tom sich aufführt, wenn ihm irgendwas gegen den Strich geht.

»Wann waren diese Typen denn hier?«, will er von mir wissen.

Was antworte ich jetzt am besten? Er soll ja denken, dass sie jede Minute zurückkommen können.

»Vor ungefähr zwei Stunden, glaube ich.«

»Ach, verflucht!« Joe schlägt sich wieder mit der Faust an die Stirn. »Hier können wir nicht bleiben.«

Er wirbelt herum und packt mich am Arm. Es klappt! Er fummelt hektisch an der Kordel, aber die Knoten sitzen ganz fest, weil ich so viel daran gezogen habe.

»Warte!«

Er stellt die Tür mit einem Stein auf, sodass die Morgensonne hereinfällt. Obwohl ich Angst habe und nur noch wegwill, presse ich die Schenkel zusammen, damit er die nassen Flecken in meiner Jeans nicht sieht.

»Bleib ganz still sitzen!«

Joe zieht ein Messer aus der Hosentasche und schneidet mir die Fesseln auf – erst an den Händen, dann am Bein.

»Steh auf!«

Ich habe für diesen Augenblick gebetet und jetzt ist er gekommen, aber meine Beine wollen mir nicht gehorchen.

»Worauf wartest du noch? Steh auf!«

»Ich versuch es ja. Aber ich war so lange festgebunden...«

»Das ist furchtbar, nicht?«, sagt er und hockt sich neben mich. »Mein Dad hat mich immer ans Bett gefesselt, wenn er zur Arbeit ging...«

»Um Himmels willen!« Einen Augenblick lang vergesse ich meine Lage. »Wie konnte er bloß?«

»Was blieb ihm schon anderes übrig.« Zu meiner Überraschung massiert mir Joe die Beine, bis ich wieder Gefühl darin habe. Wenn ich es nicht besser wüsste, würde ich denken, dass ich wieder den alten, sanften, liebevollen Joe vor mir habe. Als hätte jemand einen Schalter in seinem Kopf angeknipst und die Uhr zurückgedreht. Oder vielmehr, als würden gleich zwei Joes in seiner Haut stecken, der eine sanft und liebevoll, der andere wahnsinnig und gemein.

»Wenn meine Mutter – unsere Mutter – nicht abgehauen wäre, hätte er das nicht tun müssen.«

Joe zieht mich hoch. Ich habe das Gefühl, dass meine Knie unter mir nachgeben.

»Er musste zur Arbeit, nur deshalb hat er mich angebunden. Manchmal stundenlang.«

»Joe, das ist ja entsetzlich!«

Er tut mir einfach Leid, ich kann nicht anders. Meine Mutter hätte so was nie getan, selbst dann nicht, wenn sie ganz übel drauf gewesen wäre.

»Aber was kümmert dich das eigentlich? Du hattest doch ein sorgenfreies Leben, du konntest auf eine teure Schule gehen!«

So viel zu dem sanften Joe. Ich trete ganz dicht an ihn heran.

»Es kümmert mich sogar sehr!«, sage ich. »Du bist doch immerhin...« Die Worte bleiben mir im Hals stecken.

»...mein Bruder und ich bin deine Schwester und...!«

»Hör auf!« Joe schubst mich weg. »Ich will das nicht hören!«

Er schubst mich noch mal und geht dann zur Tür, um hinauszusehen. Sein Taschenmesser liegt auf dem Tisch.

An das Messer hatte ich gar nicht gedacht, aber es könnte mir vielleicht nützlich sein. Ich schleiche zum Tisch, voller Angst, dass Joe sich umdreht, aber er zieht das Handy aus der Tasche und redet dabei leise vor sich hin. Meine Hand schließt sich um das Messer und blitzschnell stecke ich es mir unter den Hosenbund.

»Ich muss mal, Joe – ganz dringend!« Ich bemühe mich um einen flehentlich-verzweifelten Ton. »Bitte, Joe – ich kann es mir nicht mehr verkneifen!«

»Was?«

Ich halte den Atem an, erwarte eigentlich, dass er mich nicht aus den Augen lassen will, aber zu meiner Überraschung winkt er mich zur Tür.

»Na mach schon, aber beeil dich!«

Ich schnappe mir meine Tasche und fange an, darin herumzuwühlen.

»Was machst du denn da?«, fragt Joe argwöhnisch.

»Ich brauche nur – Frauensachen«, antworte ich verschämt, ziehe mir ein Höschen heraus und laufe zur Tür.

»Halt!«

Joe packt mich am Arm.

»Hock dich hinter den Landrover«, sagt er. »Dann bist du außer Sicht, wenn jemand auf dem Feldweg vorbeikommt.«

Als ob hier auch nur eine Menschenseele vorbeikäme.

»Alles klar!« Ich darf ihn jetzt nicht aufregen. Es steht zu viel auf dem Spiel.

Ich muss schnell sein. Ich schäle mir die Jeans bis zu den Knöcheln herunter und hocke mich neben den Wagen. Was für ein wunderbares Gefühl, mich endlich erleichtern zu können. Eine ganze Menge Stress scheint mit abzulaufen. Ich halte mich am Vorderrad des Landrovers fest, um nicht umzukippen – und da durchzuckt mich ein Geistesblitz. Ob das klappen kann? Ob er mich dabei entdeckt? Egal. Ich habe sowieso nichts mehr zu verlieren.

Während ich mir den Reißverschluss hochziehe, spähe ich hinter dem Wagen vor. Joe tigert vor der Hütte auf und ab, spricht leise in sein Handy. Ich versuche angestrengt, etwas von dem Gespräch aufzuschnappen, bekomme aber nur Wortfetzen mit.

»...geht eben nicht... Polizei... abgehauen... KANN ICH NICHT!«

Die letzten drei Worte hat er beinahe herausgeschrien, und im selben Moment wirft Joe einen schnellen Blick zum Landrover herüber, wahrscheinlich um zu kontrollieren, ob ich ihn gehört habe. Aber mir bleibt keine Zeit, um darüber nachzugrübeln, mit wem er telefoniert. Ich ducke mich wieder hinter das Rad und ziehe das Taschenmesser aus meinem Hosenbund.

Meine Finger sind so steif, dass ich die Klinge nicht herauskriege. Ich fummele eine Ewigkeit daran herum.

»Leck mich doch!«

Auch diesen Satz kann ich deutlich hören. Dann sagt Joe nichts mehr. Die Zeit läuft.

Die Klinge springt heraus und ich steche in den Vorderreifen.

Keine Ahnung, wie viele Stiche nötig sind, um den Wagen fahruntüchtig zu machen. Ich krieche ein Stück weiter und steche auch in den Hinterreifen.

»Katie!«, zischt Joe mir von der Tür her zu.

»Bin gleich fertig!«, rufe ich. »Könntest du mir bitte die Papiertaschentücher aus meiner Tasche bringen?«

»Verdammt noch mal!«, schimpft er, und mir stockt der Atem. Aber zu meiner Erleichterung verschwindet er in der Hütte.

Ich stecke mir das Messer in die Tasche und laufe los. Ich renne so schnell, wie ich noch nie in meinem Leben gerannt bin, stolpere über den unebenen Boden zum Feldweg. Dort blicke ich hektisch nach rechts und links, in der Hoffnung, irgendwo durch die dichte Hecke schlüpfen zu können, auf das Feld dahinter, bevor Joe mich entdeckt.

»Katie, was zum …? Scheiße!«

Ich höre ihn schreien und die Angst treibt mich den Feldweg voran. Der Motor des Landrovers springt an und säuft gleich wieder ab.

Mein Herz klopft so wild, dass es mir in den Ohren wummert. Ich zwinge meine Beine weiterzulaufen. Joe startet noch einmal und dann höre ich den Landrover losfahren.

Ich renne um eine leichte Kurve und wage es nicht, zurückzublicken.

Da – auf einem Trampelpfad, der mitten durch eins der Felder führt, sehe ich eine Frau. Eine Frau mit einem großen schwarzen Hund, der fröhlich vor ihr herspringt.

Und sie kommt in meine Richtung.

»Hilfe! Hilfe!«

Gemessen an der Wirkung, hätte ich ebenso gut flüstern können. Ich schnappe nach Luft. Ich habe das Gefühl, als wäre um meinen Brustkorb ein Ring aus Eisenbändern geschlungen, der immer enger würde.

»Hilfe!«

Der Landrover holt langsam auf. Ich höre die Luft aus den Reifen flappern und flatschen, aber ich weiß, dass es zu spät ist. Spätestens in einer Minute hat er mich eingeholt.

Die Frau ist stehen geblieben. Sie hat sich von mir weggedreht und schirmt die Augen vor der Sonne ab. Sie bewundert die Aussicht – mein Gott!

»Was soll der Scheiß!«

Joes Stimme ist ganz nah. Der Motor geht aus. Die Tür springt auf.

»Hilfe!«

Ich versuche es ein letztes Mal. Der Hund stellt die Ohren auf und sieht zu mir herüber.

Die Frau rührt sich nicht.

Joe packt mich und hält mir die Hände auf dem Rücken fest.

»Los, rein!«

Er verpasst mir einen Fußtritt, drückt mich gegen den Kotflügel und reißt die Beifahrertür auf.

»Nein, nein!«

Ich wehre mich, aber ich weiß, dass es keinen Sinn hat. Er ist dreimal so stark wie ich und wütend. Stinkwütend.

»Steig ein!« Er hebt mich hoch und schiebt mich auf den Sitz, knallt die Tür zu und rennt zur Fahrerseite hinüber.

In diesem Moment blickt die Frau auf.

»Verdammte Scheiße!«

Joe hat den Platten entdeckt.

»Scheiße!« Er tritt gegen das Rad und schickt noch ein paar Verwünschungen hinterher.

In Sekundenschnelle tue ich das, was mir als Erstes in den Sinn kommt. Ich ziehe den linken Turnschuh aus, kurble das Fenster runter und schleudere ihn mit voller Wucht aus dem Fenster.

Der Hund sieht den Schuh fliegen und kommt angerannt.

Ich schreie aus Leibeskräften.

Dann ist Joe wieder im Landrover und verpasst mir eine Ohrfeige, von der mir einen Moment lang schwarz vor Augen wird.

»Schnauze!«

Er startet den Motor und der Landrover setzt sich in Bewegung. Ich bete, dass er mit den kaputten Reifen nicht weit kommt, aber Joe legt den Rückwärtsgang ein, wendet und gibt Gas. Jetzt fahren wir in die Richtung, aus der wir gekommen sind.

»Du blöde Ziege!« Joe platzt vor Wut. »Du hast alles kaputtgemacht! Jetzt muss ich dich auf die Farm bringen!«

»Ich dachte, da wollten wir sowieso hin?«, schluchze ich. Der Wagen ruckelt so heftig, dass ich mich am Armaturenbrett festhalte. Plötzlich packt Joe mich am Handgelenk und gräbt mir seine Nägel ins Fleisch. »Jetzt muss ich es tun!«

Aus den aufgeschlitzten Reifen entweicht das letzte bisschen Luft. Joe hat sichtlich Mühe, den Landrover geradeaus zu steuern.

Ich starre ihn an.

»Was denn?«, krächze ich.

»Das wirst du schon noch merken!« Er lässt mein Handgelenk los, weil der Wagen nun bedrohlich schlingert. Er umgreift das Steuer mit beiden Händen und ich riskiere einen kurzen Blick nach hinten.

Von der Frau oder ihrem Hund ist nichts mehr zu sehen.

Die Reifen schrappen über den Boden. Der Landrover schert aus, Joe flucht und wir landen in der Hecke.

»Raus! Sofort!«

Er beugt sich über mich und stößt die Beifahrertür auf. Dabei sehe ich das Handy, das aus seiner Gesäßtasche herausguckt. Ich will schon danach greifen, aber es ist zu spät. Er hat sich wieder aufgerichtet und schubst mich aus dem Landrover in den Graben.

»Hier lang!« Er treibt mich in das dichte Brombeergestrüpp am Wegesrand. »Dahindurch!«

Ich entdecke eine kleine Lücke, durch die ich kaum hindurchpasse. Die Dornen zerkratzen mir Arme und Gesicht und reißen an meinen Jeans. Ich wünschte, ich hätte den einen Schuh nicht weggeworfen. Es hat ja doch nichts gebracht, und jetzt tut mir mein linker Fuß höllisch weh, weil die Brombeerruten meine Socke aufratschen.

»Hier lang!« Joe packt mich wieder am Handgelenk und schleift mich dicht an der Hecke hinter sich her, immer am Feldrand entlang. »Schneller!«

»Wo ist denn die Farm?«, keuche ich und bete, dass sie in der Nähe von anderen Häusern oder vielleicht an einer Straße liegt. Oder sonst was – Hauptsache, ich habe eine Chance zu fliehen.

»Da ist sie!«

Ohne stehen zu bleiben, deutet er mit dem Kopf auf das eiserne Gittertor am anderen Ende des Felds.

Das niedrige weiße Gebäude hat riesige Löcher im Dach. Selbst aus dieser Entfernung sehe ich, dass die meisten Fensterscheiben zerbrochen sind. Eine zerfetzte Gardine flattert aus einem Fenster unter dem Dachvorsprung. Rund um das Haus wuchert meterhohes Unkraut.

Und weit und breit keine Menschenseele.

»Wo sind deine Freunde denn alle?«, frage ich keuchend, als wir das Tor erreichen. Die Inschrift »Fox..l. Fa.m« ist in das morsche Holz eingeritzt. Am Zaun lehnt ein rostiges Fahrrad.

»Hier ist gar keiner – nur du…« Joe beugt sich vor, hält sich die Seite und schnappt nach Luft. »…und ich.«

Mir rutscht das Herz in die Hose. Jede Hoffnung, ein Telefon zu finden oder Joe mithilfe eines Mitbewohners zur Vernunft zu bringen, ist dahin.

»Du hast doch gesagt… was ist denn mit den anderen? Flip und Ellie und…«

»Ich habe gelogen«, raunzt er mich an. »Die sind erfunden. Schnallst du das denn nicht?«

Ich spüre, wie mir ein Schrei in der Kehle aufsteigt.

»Aber warum? Warum?«

Ich gehe mit den Fäusten auf ihn los, aber er schiebt mich mit einem höhnischen Grinsen weg.

»Weil er unsere Mutter bestrafen will. Weil er mir diese Aufgabe anvertraut hat. Er hat gesagt, ich müsste dich irgendwie dazu bringen, dass du mit mir kommst, und ich habe es geschafft.«

Er strahlt mich an und zieht mich dann den Weg entlang auf die Haustür zu.

»Er wird mächtig stolz auf mich sein, wenn ich alles erledigt habe!«

Und plötzlich begreife ich.

»Dein Vater?«, japse ich.

Es ist eigentlich gar keine Frage, sondern eine Feststellung. Sein Vater will mir etwas antun, damit Mum leiden muss.

Ich glaube, ich drehe gleich durch. Meine Augen wandern unkontrolliert von links nach rechts. Es gibt keine Fluchtmöglichkeit. Der Wind frischt auf und Wolken schieben sich vor die Sonne.

Plötzlich klingelt Joes Handy.

»Verdammt!«

Er reißt es aus der Tasche.

»Ja. Bald. Ich sage dir Bescheid. Okay?«

Ganz schwach kann ich eine tiefe Stimme am anderen Ende hören. Ich überlege fieberhaft, was ich tun soll.

Joe drückt auf die Aus-Taste und wendet sich an mich.

»Ich bleibe ein bisschen hier«, sagt er, während er die Haustür aufstößt. »Ich gehe nicht gleich weg.«

Er sieht mich an, als ob er für seine Güte ein Lob erwarten würde.

Ich zwinge mich zu lächeln.

Wenn ich ihn bei Laune halte, wenn ich irgendwie an sein Handy gelangen kann, dann kommt mich vielleicht jemand holen.

Bitte, lieber Gott, mach, dass jemand kommt und mich holt.

Grace

Montag, 2. Juli
12:00 Uhr

*S*ie macht sich total fertig, die Arme. Was für ein Vormittag! Es ist, als wäre man mitten in einem von diesen Fernsehkrimis gelandet, bei denen man immer findet, dass alles zu dick aufgetragen ist. Ich wünschte, das wäre so. Ich wünschte, es wäre nur eine erfundene Geschichte.

Sie sieht aus wie der leibhaftige Tod – oder als hätte sie einen Geist gesehen, aber wenigstens ist sie wieder auf den Beinen. Die Polizistin wurde richtig nervös, wie sie so lange vor der Klotür stand. Sie murmelte, man müsse die Tür aufbrechen, wenn sie nicht bald rauskäme. Wahrscheinlich hatte sie Angst, Lydia könnte sich etwas antun, aber ich weiß, dass sie nicht der Typ dafür ist. Im Gegensatz zu Jarvis.

Der arme Mann! Es heißt zwar, es sei eine Sünde, sich das Leben zu nehmen, aber bei den Schulden! Wer hätte das von ihm gedacht – er wirkte immer so besonnen und vernünftig. Und ich muss es schließlich wissen, denn ich habe in all den Jahren so etliche Krisen bei ihnen miterlebt. Als Lydia zum ersten Mal zusammengebrochen ist, hat er sich voll und ganz hinter sie gestellt. Nein, irgendetwas in seinem Kopf muss ausgerastet sein, das ihn zu dieser Kurzschlusshandlung getrieben hat. Und das hat garantiert etwas mit dem zu tun, was sich jetzt gerade abspielt. Genau wie Lyddys Gefasel von einer früheren Ehe etwas mit ihrer Trinkerei zu tun haben könnte. Man weiß ja nie.

Ich bin doch froh, dass ich auf einen Sprung vorbeigegangen bin. Bill meint, ich wäre einfach nur neugierig, aber das allein ist es nicht. Ich habe mitbekommen, wie ein Streifenwagen bei Lydia vorfuhr, und da ich gerade Marmeladenplätzchen und Haferkekse gebacken hatte, dachte ich, es wäre eine günstige Gelegenheit, ihr was zum Knabbern vorbeizubringen. Also habe ich eine Tupperdose voll gepackt und bin zu ihr gegangen.

Das ist keine Neugier, das ist einfach nur gute Nachbarschaft und Freundschaft.

Die Polizisten schienen sich auch zu freuen, denn als Lydia sich erbrechen musste und die Lehrerin versuchte, den kleinen Tom zu beruhigen, habe ich ihnen allen Kaffee gemacht. Der nette Inspektor wirkte etwas außer Fassung, als ich kam, deswegen bin ich noch ein bisschen geblieben – man weiß nie, ob man sich nicht eventuell nützlich machen kann.

»Wir haben die Genehmigung unserer Dienststelle eingeholt und Nachforschungen bei der Telefongesellschaft angestellt«, erklärte er gerade dem jungen Beamten, den er mitgebracht hatte. »Und soeben erfahre ich, dass der Sender, der das Signal des letzten Anrufs aufgefangen hat, in Brighton steht. Damit können wir die Suche räumlich doch gut einschränken.«

»Da hat Lydia früher gewohnt!«

Vielleicht hätte ich das nicht ausposaunen sollen, aber es ist mir einfach so rausgerutscht.

Der Inspektor drehte sich um und sah mich an, als wäre er überrascht, dass ich in der Nähe stand.

»Ah ja, Mrs Wheeler«, sagte er. »Sie kennen Lydia wohl schon ziemlich lange?«

Also habe ich ihm von dem Heim erzählt und wie ich Lyddy damals im Zug getroffen habe – ich betonte, dass es ein Zug aus Brighton war – und dass ich Katies Taufpatin bin, und er schrieb alles in sein Notizbuch.

»Sie wohnen gegenüber, ja?«, sagte er. »Haben Sie am Freitag vielleicht zufällig gesehen, wie Katie zur Schule ging?«

Ich schüttelte den Kopf. Ich musste gar nicht nachdenken. Den Tag habe ich seither bestimmt schon hundertmal in meinem Kopf abspulen lassen.

»Normalerweise sehe ich sie immer«, erklärte ich ihm. »Ich gehe so gegen acht mit dem Hund raus, und wenn ich dann zurückkomme, macht Katie sich auf den Weg. Aber am Freitag muss ich sie verpasst haben.«

»Als Sie am Freitag zurückkamen, war der Müll da schon abgeholt?«, fuhr er fort und kritzelte weiter.

Ich hatte keine Ahnung, wieso ausgerechnet das so wichtig sein sollte, aber ich überlegte und nickte dann.

»Ja, der Müll war weg«, sagte ich. »Das weiß ich, weil Whisky – mein Hund – oft an den Säcken herumschnüffelt und ich ihn mit Gewalt wegzerren muss. Nein, am Freitag waren sie schon abgeholt.«

Der Inspektor wandte sich an Toms Lehrerin, die dastand und den Eindruck machte, als ob sie sich weit weg wünschte.

»Das deckt sich mit unseren Informationen«, sagte er. »Der Müllwagen ist früher als üblich gekommen – wir können die Zeit genau nachprüfen. Und zusammen mit diesen Bildern…«, er wedelte mit Toms Zeichnungen herum, »haben wir vielleicht einen guten Anhaltspunkt.«

»Darf ich die mal sehen?«, fragte ich, ohne nachzudenken.

Der Inspektor gab mir die Blätter und dabei flatterte das unterste zu Boden. Ich bückte mich danach und stieß einen Schrei aus. Es war ein Bild von Katie – Katie in einem roten Schlafanzug und silbernen Schuhen. Neben ihr war ein riesiger schwarzer Müllbeutel zu sehen, übergroß im Verhältnis zum übrigen Bild.

»Das hat Tom gemalt?«, fragte ich Mrs Ostler.

Die Lehrerin nickte.

»Es ist seine Art der Kommunikation«, erklärte sie, als wüsste ich rein gar nichts über den Jungen. »Der Beutel ist deshalb so riesig, weil er ihn für das Wichtigste hält.«

In dem Moment kam Brenda, die Polizistin, ins Zimmer zurück, mit Lydia an der Hand, die so aussah, als würde sie gleich wieder umkippen.

»Lydia ist jetzt bereit zu reden«, sagte sie zum Inspektor. Ich hatte den Eindruck, dass ihre Stimme nicht mehr ganz so freundlich klang.

»Ich weiß gar nicht, wo ich anfangen soll«, murmelte Lydia.

»Ich will versuchen, Ihnen zu helfen«, sagte der Inspektor. Er stand auf und schlenderte so lässig zum Fenster wie ein Fernsehkommissar. »Der Anruf kam von Nathan Tucker aus der Gegend um Brighton – wir wissen das, weil wir den Sender lokalisieren konnten.«

»Dann werden Sie also Katie finden...?«

»Die Polizei von Sussex ist bereits eingeschaltet. Sie haben früher in Brighton gewohnt – zusammen mit Nathan.«

Das war keine Frage, sondern eine Feststellung.

Lydia nickte unmerklich und warf einen kurzen Blick zur Lehrerin hinüber.

»Darüber unterhalten wir uns später«, sagte der Inspektor. »Aber jetzt möchte ich, dass Sie noch einmal an den Freitagmorgen zurückdenken. An dem Tag kommt die Müllabfuhr...«

»Moment!«

Lydia blieb mitten im Zimmer stehen.

»Der Wagen – der kam, als ich...«

Sie brach ab.

»Ich hatte eine ziemlich üble Magenverstimmung«, sagte sie mit einem raschen Seitenblick auf mich. »Ich war im Bad, um mich zu übergeben, und versuchte gleichzeitig, mit Tom fertig zu werden, der wieder mal einen Rappel bekam. Und da habe ich den Müllwagen gehört...«

Vielmehr sagte sie »Wüllmagen«, vor lauter Aufregung.

»Katie ist zur Tür gerannt und hat gesagt, ihr wäre gerade eingefallen, dass noch ein Müllsack rausmüsste«, fuhr Lydia fort. »Ich hörte die Tür zuknallen und...«

Sie starrte die Polizistin an.

»Und das war's!«, flüsterte sie.

»Aber was hat denn der Müll mit Katies Verschwinden zu tun?« Die Lehrerin war offenbar genauso verwirrt wie ich.

Brenda nahm mir das Bild aus der Hand und sah es sich noch einmal an.

»Katie trägt eine rote Hose.«

»Einen roten Schlafanzug«, berichtigte ich sie.

Alle fünf schauten mich an.

»Wieso einen Schlafanzug?«, fragte Brenda.

»Ja«, bestätigte Lydia. »Das ist der mit Pu dem Bären vornedrauf. Ich habe ihr gesagt, dass sie allmählich zu groß für so was wird, aber...«

Sie ließ sich in einen Sessel fallen und nahm den Kopf zwischen die Hände.

»Moment mal!«, warf Brenda ein. »Tom hat sie offenbar mit diesem Schlafanzug gesehen – aber du sagst, dass er und Katie beide an dem Morgen mit dir zusammen waren, als der Müllwagen kam?«

Lydia nickte.

»Am Freitag war sie sehr früh aufgestanden und schon längst angezogen. Sie hat gesagt, sie wollte früher zur Schule, weil...«

Ihr versagte die Stimme.

»Ich möchte fast wetten«, meinte Brenda nachdenklich, »dass Katie nachts etwas versteckt hat – vor dem Gartentor. Und das muss Tom gesehen haben.«

»Kann das sein?«, fragte sie die Lehrerin.

Mrs Ostler nickte.

»Alles, was von seiner Routine abweicht, ist für ihn höchst beunruhigend«, erklärte sie. »Und wenn Katie tatsächlich im Schlafanzug auf der Straße stand, dann hat er sich das bestimmt gemerkt.«

Danach wurden jede Menge Notizen und Telefonate gemacht, und ich ging in die Küche, um den nächsten Pott Kaffee zu kochen. Als ich zurückkehrte, bekam ich immerhin noch das Ende der Unterhaltung mit.

»Warum haben Sie uns nicht gesagt, dass sie mit diesem Joseph ging?«, fragte der Inspektor. »Ich hätte gedacht, Sie würden sich als Allererstes an ihren Freund wenden.«

»Er ist nicht ihr Freund! Bestimmt nicht!«

Der Inspektor zog eine Augenbraue hoch. Er schien ziemlich überrascht, wie vehement Lydia reagierte. Sie schätzt sich ja immer glücklich, dass Katie nicht hinter Jungen her ist und sich nicht wie so viele andere Mädchen aufführt, die samstags im Einkaufszentrum herumlungern, um die Kerle herumstreichen und sich dabei die Röcke bis unter die Achseln hochziehen.

»Ich meine nur«, sagte Lydia leise, »ich will nur ...«

Brenda strich ihr sanft über den Arm.

»Lydia, wir müssen in Erfahrung bringen, wer etwas darüber wissen könnte, wo Katie sich aufhält – das ist äußerst wichtig.«

Lydia nickte und lächelte.

»Ach, ich meinte doch nur, in dem Alter schwärmen die Mädchen für alle möglichen Typen, oder?«

Sie sah mich Beifall heischend an.

»Sie hat mal erwähnt, dass dieser Joseph der Bruder einer Klassenkameradin ist – aber dass nichts zwischen ihnen läuft. Gar nichts. Eine harmlose Bekanntschaft.«

»Das behaupten sie alle«, bemerkte der Inspektor leise.

Brenda zog ihr Notizbuch hervor.

»Kennst du ihren Nachnamen?«, fragte sie.

Die Frage war Lydia offenbar unangenehm.

»Sie hat gesagt, dass er Antonias Bruder ist«, murmelte sie. »Ich kann mich doch nicht an die Namen von allen Kindern aus ihrer Schule erinnern.«

»Das werden wir gleich überprüfen!« Brenda klappte ihr Notizbuch zu und stand auf. »Inzwischen könntest du schon mal herausfinden…«

Sie brach mitten im Satz ab, weil ihr Funktelefon losbläkte.

»Ja? Das ging ja schnell. Wirklich? Wunderbar! Ich richte es aus.«

Ein Anflug von Lächeln machte sich auf ihrem Gesicht breit.

»Einer der Müllmänner erinnert sich an Katie«, teilte sie uns mit. »Er hat die Geschichte erst heute Morgen in den Nachrichten gehört – es ist sein freier Tag – und sofort auf der Wache angerufen.«

»Weiß er, wo sie ist?« Man konnte Lydia ansehen, dass sie die Antwort schon ahnte.

»Nein«, sagte Brenda sanft, »aber er erinnert sich, dass sie wie der Blitz aus dem Haus geschossen kam, ihm einen der Müllbeutel aus der Hand riss und sagte, den hätte sie eigentlich gar nicht auf die Straße stellen wollen.«

Sie machte eine Pause, um ihre Worte auf uns wirken zu lassen. Ich glaube, die anderen waren genauso verdattert wie ich.

»Aber was viel wichtiger ist«, fuhr Brenda fort, »er schaute noch mal kurz zurück und sah, wie Katie mit einer blauen Reisetasche die Straße entlanglief.«

Lydia schnappte hörbar nach Luft.

»Die blaue Tasche?« Sie sprang auf und lief in den Flur. Keine zwei Sekunden später war sie wieder zurück.

»Die Reisetasche ist weg«, sagte sie. »Sie steht nicht mehr im Schrank.«

»Siehst du«, meinte Brenda. »Katie hatte offenbar nachts draußen etwas versteckt. Kleider, vielleicht Bargeld – wer weiß?«

Wieder legte sie eine Pause ein – eine Kunstpause.

»Daraus können wir mit an Sicherheit grenzender Wahrscheinlichkeit schließen, dass Katie ausreißen wollte«, erklärte sie. »Anscheinend hat sie alles genau geplant – das macht eine Entführung relativ unwahrscheinlich.«

Bei diesen Worten verlor Lydia völlig die Nerven. Sie schluchzte und heulte und wimmerte wie ein waidwundes Tier. Ich konnte das nicht nachvollziehen. Ich hätte gedacht, dass sie aus dem Umstand, dass Katie vielleicht irgendwo mit einem Freund zusammmen war, Hoffnung schöpfen würde. Brenda versuchte, ihr beizubringen, dass Katie möglicherweise in London wäre, dass die Polizei in allen Pensionen nachfragen würde, aber nichts davon schien sie überhaupt noch zu erreichen.

»Wenn mir das nicht rausgerutscht wäre... Kommt nicht zurück... Im Stich gelassen... Gottes Strafe.«

Ihr Gerede ergab überhaupt keinen Sinn.

»Wir werden alle ihre Schulkameradinnen befragen«, sagte Brenda und streichelte ihr wieder sanft über den Arm. »Manchmal vertrauen Jugendliche sich Dinge an, die sie zu Hause niemals erzählen würden. Vielleicht hat ja jemand eine Erklärung dafür, warum sie nicht bei der Party aufgetaucht ist.«

»Das wissen wir doch längst!«, brauste Lydia auf. »Katie hat ihnen am Donnerstag gesagt, dass ich ihr verboten habe...«

Sie stockte und schlug sich die Hand vor den Mund.

»Ja?« Der Inspektor trat einen Schritt vor und nahm Lydia ins Visier.

»Oh Gott!«, hauchte sie. »Alice – das ist die beste Freundin meiner Tochter – hat mir am Telefon gesagt, Katie hätte sich am

Donnerstag bei ihr beklagt, weil sie nicht bei Mandy übernachten dürfte.«

»Und?«

»Aber Katie und ich haben überhaupt erst am Donnerstagabend, als ich vom Elternabend zurückkam, über die Party gesprochen«, fuhr Lyddy fort. »Wenn Katie also Alice und sonst wem erzählt hat, dass sie nicht kommen dürfte, aber mich erst hinterher um Erlaubnis gefragt hat...«

Der Inspektor nickte.

»Alles deutet darauf hin, dass Katie die ganze Zeit andere Pläne hatte«, stellte er fest. »Wir müssen diesen Joseph finden und rauskriegen, was er weiß.«

Lyddy wurde leichenblass. Ich kann mir nur allzu gut vorstellen, dass es einem Angst macht, wenn die eigene Tochter anfängt, sich für Jungen zu interessieren. Es ist allerdings auch ziemlich Besorgnis erregend, wenn der eigene Sohn anfängt, sich für Jungen zu interessieren.

»Ich werde gleich mal Alice anrufen«, sagte Lydia. »Sie müsste eigentlich Bescheid wissen – das Mädchen hat nichts als Jungen im Kopf. Sie wird mir bestimmt bestätigen, dass es nicht Joseph ist.«

»Nicht Joseph?« Der junge Polizist war verwirrt.

»Ich meine – sie wird wissen, dass dieser Joseph nicht mit Katie zusammen ist«, plapperte Lydia weiter, griff zum Hörer und wählte eine Nummer. »Ich an ihrer Stelle wüsste das jedenfalls.«

Das möchte ich bezweifeln, dachte ich, wenn man bedenkt, dass du oft nicht mal weißt, ob es Tag oder Nacht ist.

»Alice? Katies Mum am Apparat. Was? Nein, ist sie nicht. Hör mal, Antonia ist doch in eurer Klasse, oder? Ja? Hat sie einen Bruder? Aha, sie hat also einen.«

Sie drehte sich um und nickte Brenda zu.

»Was? Daniel? Wie alt? Ach so. Nein, nur dass dieser Joseph, in den Katie wohl etwas verschossen war ... Was?«

Sie schlug sich wieder die Hand vor den Mund.

»Du hast also gedacht, dass alles aus wäre? Wie hieß der Kerl? Joe?«

Der Hörer fiel ihr aus der Hand und knallte aufs Tischchen.

»Nein«, hauchte sie. »Oh Gott – bitte nicht!«

Brenda war sofort bei ihr.

»Was hat das Mädchen dir erzählt?«, fragte sie, während sie Lyddy zum nächsten Sessel führte.

»Alice sagt, dass Katie sich vor Monaten eine Zeit lang mit einem Jungen namens Joe getroffen hat«, flüsterte Lydia. »Laut Alice war sie hin und weg von ihm – aber irgendwann redete sie nicht mehr von ihm, und Alice nahm an, dass er mit ihr Schluss gemacht hat.«

Sie stützte den Kopf in die Hände.

»Ist ja gut, Lydia«, meinte Brenda tröstend. »Das könnte uns wirklich weiterhelfen. Wenn dieser Joe nun doch wieder mit Katie angebandelt hat, dann weiß er vermutlich, wo sie ist, oder hat zumindest eine Ahnung davon, was ihr im Kopf herumgeht – vielleicht hat sie die Sache seit Monaten geplant und sich ihm anvertraut.«

»Nein, erst seit ein paar Tagen, glaube ich«, entgegnete Lydia leise und brach dann in Schluchzen aus. »Seit ich gesagt habe, was ich ... also seit unserem Streit.«

»Wir werden diesen Joseph schon finden«, sagte der Inspektor, erhob sich und ging ans Fenster. »Es kann sich nur um Stunden handeln, bis wir herausgefunden haben, was er weiß – machen Sie sich bitte keine Sorgen!«

»Nein!« Lyddy sprang auf.

»Ich meine – ja, ja, natürlich«, murmelte sie und ließ sich in den Sessel zurückfallen.

»Sind Sie sicher, dass Sie ihn nicht noch näher beschreiben können? Blond, braune Augen...«

»Zuerst waren sie braun«, sagte Lydia völlig tonlos.

Der Inspektor runzelte die Stirn.

»Was heißt zuerst?«

Er warf Brenda einen Blick zu, die kaum merklich mit den Achseln zuckte.

»Er trug farbige Kontaktlinsen«, erwiderte Lydia und starrte über seine Schulter hinweg die leere Wand an. »Das habe ich natürlich erst gemerkt, als er sie herausnahm, bevor er wegging, und seine Augen waren...«

Sie zögerte und wurde noch blasser, als sie ohnehin schon war.

»Ja?«

Der Inspektor hielt Notizbuch und Stift gezückt.

»Verschiedenfarben – eins war grün, das andere grau.«

Ich schnappte nach Luft.

Brenda riss die Augen weit auf.

Man hätte eine Stecknadel fallen hören können.

Brenda war die Erste, die sich wieder fing. »So wie die Augen deiner Tochter?«, fragte sie.

Lydia nickte.

»Ja«, sagte sie und lächelte gezwungen. »So ein Zufall aber auch.«

Langes Schweigen.

»Nur«, flüsterte sie darauf so leise, dass ich sie kaum verstehen konnte, »nur dass ich nicht an einen Zufall glaube.«

Und dann schlug sie sich wieder die Hand vor den Mund.

»Ich glaube nämlich, dass Joseph mein Sohn ist. Das war eben sein Vater am Telefon. Nathan. Nathan Tucker.«

Ich fiel aus allen Wolken, konnte das gar nicht fassen. Es ergab einfach keinen Sinn. Doch bevor ich oder jemand anders etwas sagen konnte, piepste das Handy des Inspektors los.

»Ja? Was? Na, das bringt uns doch schon weiter!«

Er klopfte sich auf den Schenkel und sah zu Brenda hinüber.

»Der Halter des Wagens heißt Nathan Tucker«, sagte er. »Und er hat die Kfz-Steuer nicht bezahlt – der Wagen ist gar nicht mehr zugelassen!«

»Nathan hat sie in seiner Gewalt! Oh Gott!«

Brenda legte beruhigend eine Hand auf Lydias Schulter, denn die sah aus, als würde sie gleich wieder in Ohnmacht fallen.

»Moment!«

Der Inspektor schnipste mit den Fingern, als hätte er gerade einen Beschluss gefasst.

»Mrs Fordyce«, begann er. Dieses Mal sagte er nicht »Lydia«, wie mir auffiel, und er sprach ohne irgendwelche Rücksicht auf ihre miserable Verfassung. »Angesichts dieser Aussage und der neuesten Entwicklungen möchte ich vorschlagen, dass Sie uns aufs Revier begleiten, damit wir Ihre Angaben überprüfen können.«

»Aber wenn sich Katie in der Zwischenzeit meldet? Oder zurückkommt?«, wandte Lydia ein.

»Unser junger Kollege wird hier bleiben, bis Sie zurückkommen«, verkündete er. Dem jungen Kollegen schien das nicht sonderlich zu passen.

»Also, ich weiß nicht recht... ich muss ja auch an Tom denken«, versuchte es Lydia noch einmal.

»Mrs Fordyce, die Zeit wird knapp«, antwortete er streng. »Und Sie waren bisher nicht gerade sehr mitteilsam.«

»Ich kümmere mich um Tom«, bot sich Mrs Ostler an. »Wir fahren zur Schule zurück, und da kann er mit mir zusammen warten, bis alles geklärt ist.«

Lydia, Brenda und der Inspektor machten sich auf den Weg und ich ging nach Hause. Mir schwirrt immer noch der Kopf. Die ganze Geschichte ergibt keinen Sinn. Wie kann denn dieser Jo-

seph Lydias Sohn sein? Der Polizei gegenüber hat Lydia angege-
ben, Joe sei zwanzig. Katie ist fünfzehn. Und Lydia hatte mit
Sicherheit kein Kind, als ich bei ihrer Hochzeit mit Jarvis war.

Es sei denn...

Lieber Gott! Bitte nicht. Nein.

Aber ihre Zusammenbrüche und die Albträume und...

Das könnte sie nicht...

Das würde sie nicht...

Zu so etwas wäre nicht einmal sie in ihren schlimmsten Zuständen fähig.

Oder etwa doch?

Katie

Montag, 2. Juli
15:00 Uhr

*I*ch dachte schon, es könnte klappen. Seit wir hier angekommen sind, habe ich praktisch pausenlos auf Joe eingequasselt, und er hat mir wohl auch zugehört. Ich redete mir ein, dass er irgendwie Vernunft annehmen und mich nach Hause bringen würde. Jedenfalls war ich nah dran, ihn auf meine Seite zu ziehen, da bin ich mir sicher.

Aber dann ist plötzlich alles total aus dem Ruder gelaufen.

Hier auf der Farm schien er sich richtig unwohl zu fühlen, als ob er nicht wüsste, was er tun sollte. Die Farm ist heruntergekommen, wenn auch nicht so schlimm wie die Hütte. Sie wirkt fast – fast bewohnt. Bei unserer Ankunft sah ich in einer Ecke des Wohnzimmers einen Stapel alter Zeitungen und in dem schrottigen Kamin lagen sogar ein paar Holzscheite. Joe zündete Kerzen an und zog einen Schokoriegel heraus, den wir uns teilten. Ich dachte mir, wenn er mich wirklich sterben lassen wollte, würde er mir garantiert nichts mehr zu essen geben. Die ganze Zeit raste mein Hirn, und ich versuchte, Fluchtpläne zu schmieden. Ich wusste, dass die Straße mindestens zwei Meilen vom Feldweg entfernt liegt. Es hatte überhaupt keinen Sinn, noch mal wegzulaufen. Der Landrover war zwar fahruntüchtig, aber Joe ist tausendmal fitter als ich und ich habe nur noch einen Schuh.

Lange Zeit war Joe ungewöhnlich schweigsam. Deshalb hielt

ich erst den Mund, weil ich Angst hatte, er könnte ausrasten, wenn ich etwas Falsches sagte. Er sah immer wieder auf seine Armbanduhr und tigerte nervös herum. Dann klingelte plötzlich das Handy.

»Ja? Ja, habe ich. Nein! Noch nicht! Weil ich es sage, okay? NOCH NICHT!«

Er knallte das Telefon auf den Tisch.

»Wer war das?«

Ich kannte die Antwort, aber ich musste alles tun, um Zeit zu schinden.

»Mein Dad«, erwiderte er. »Dein Dad.«

Er starrte mich an.

»Er will, dass ich... mich beeile«, murmelte er.

Meine Gedanken überschlugen sich. Wenn er jetzt zu seinem Vater fuhr, gab es nur zwei Möglichkeiten: Entweder er nahm mich mit oder er ließ mich zurück. Beides würde meine Fluchtchancen erhöhen.

»Willst du dann nicht lieber mal nach ihm sehen?«, begann ich. »Ich meine, du hast doch gesagt, dass er krank ist...«

»Das mache ich, wann es mir passt, kapiert?«, schrie er. »Er schreibt mir immer vor, was ich tun soll, setzt mir die Pistole auf die Brust...«

Er brach ab und lehnte sich an die Wand. Jetzt, im Widerschein der flackernden Kerzen, wirkte sein Gesicht auf einmal viel jünger, viel unsicherer. Das Handy lag auf dem Tisch neben ihm. Ich musste ihn unbedingt ablenken.

»Er ist ein verdammter Tyrann!«

Joe hämmerte mit der Faust an die Wand.

»Oh Gott, ich weiß, was du meinst!«, platzte ich heraus. »Eltern! Die denken doch immer, dass wir ihnen gehören!«

Das war genau der falsche Schachzug.

»Unsere Mutter hat das aber nicht gedacht, oder?«, fauchte er wütend und kam auf mich zu. »Sie hat nicht einen Gedanken an mich verschwendet, als sie meinen Vater verließ!«

»Doch!«

Ich weiß nicht, warum ich das sagte, aber im selben Augenblick merkte ich, wie er schwach wurde und tief Luft holte. Ich wusste, dass ich genau an der Stelle ansetzen musste.

»Was? Wie meinst du das?«

Aus seiner Stimme klang eine so tiefe, so unerwartete Verzweiflung, dass er mir fast Leid tat.

»Du erinnerst dich doch noch an den Tag, als du den Brandy gekauft hast? Als du mit mir nach Hause gekommen bist?«

Ich zögerte. Meine Geschichte musste möglichst überzeugend klingen, aber ich konnte nur auf die Schnelle improvisieren.

»Ja und?«

»Nachdem du weg warst«, fuhr ich fort, »hat Mum gesagt, dass sie dich unheimlich nett findet. Und dann wurde sie ganz still und traurig. Ewig lange.«

In Wahrheit hatte sie mich ewig lange danach ausgequetscht, wer genau dieser Joe war, und sich dann wieder betrunken. Aber Tatsachen waren jetzt nicht gefragt.

Joe blieb stumm, doch er hörte zumindest zu.

»Sie hat gesagt, vor langer Zeit hätte sie einen kleinen Jungen gehabt…«

»Ja?«

Joe beugte sich vor und fixierte mich. Da hätte ich beinahe den Faden verloren. Ich konnte ja schlecht behaupten, sie hätte zugegeben, ihn verlassen zu haben. Denn in dem Fall hätte ich wissen müssen, dass ich einen großen Bruder habe. Also sagte ich einfach, was mir gerade in den Sinn kam.

Ich blöde Kuh!

»Sie hat mir erzählt, er wäre gestorben«, flüsterte ich.

Das brachte Joe auf hundertachtzig.

»Wie konnte sie nur, diese hundsgemeine… hat sie das wirklich gesagt? Ihr eigenes Kind! Und sie behauptet, dass ich tot bin! Na, bald wird sie mitkriegen, wie es sich anfühlt, wenn einem das eigene Kind stirbt!«

Ich machte den Mund auf, brachte aber keinen Ton heraus.

»Willst du wissen, wie es wirklich war?« Er wartete meine Antwort gar nicht erst ab. »Also, ich erzähl's dir. Sie hat sich mit Dads Geld – achthundert Pfund waren das – aus dem Staub gemacht! Sie hat keine Nachricht hinterlassen, sie hat mir nicht mal einen Abschiedskuss gegeben!«

Sein Gesicht war puterrot. Er ballte die Fäuste. Und er sah mich an, als ob ich Schuld an allem hätte.

»Sie ist nicht mal so lange geblieben, bis ich mein Puzzle fertig zusammengelegt hatte.« Seine Stimme klang jetzt kindisch, bockig.

Er tigerte wieder im Zimmer herum.

»Wusstest du, dass ich jeden Tag auf ihre Rückkehr gewartet habe? Oder zumindest auf eine Karte zum Geburtstag? Kannst du dir vorstellen, wie das für ein fünfjähriges Kind ist?«

Das konnte ich nicht. Was hatte sie ihm bloß angetan? Und warum? Wenn Joe ihr Sohn war – und das war er ja –, weshalb hatte sie ihn nicht mitgenommen? Genauso gut hätte sie auch Tom verlassen können. Oder mich. Und ganz egal was Mum anstellen mochte, wenn sie einen schlechten Tag hatte, sie würde sich doch niemals von uns trennen.

Niemals.

»Natürlich«, stieß Joe hervor, »wusste mein Dad da noch nicht, dass sie schwanger war – *mit dir*! Sie hat ihm nicht nur sein Geld gestohlen, sondern auch sein Kind!«

»Aber sie war doch nicht…«

Meine grauen Zellen liefen heiß. Ich wollte es immer noch nicht glauben. Es konnte nicht – *durfte* nicht sein!

»Sie ist gleich nach der Hochzeit mit meinem Vater schwanger geworden ...«

»Dein Vater ist auch mein Vater!«

Ich musste mich mit aller Macht zusammenreißen.

»Joe, jetzt hör mir doch mal zu! Mum ist in der Hochzeitsnacht schwanger geworden – also von Jarvis.«

Joe starrte mich an. Dann warf er den Kopf zurück und lachte.

»Tu nicht so naiv!«, schrie er. »Das glaubst du doch wohl selber nicht! Sie hat dich diesem Jarvis als sein Kind untergejubelt, weil sie schon was mit ihm hatte, als sie noch mit Dad zusammen war, die alte Schlampe!«

»Und woher willst du das wissen?«, brüllte ich zurück. »Du hast mir doch gesagt, dass dein Dad nichts von ihrer Schwangerschaft wusste, woher beziehst du also deine Weisheit?«

»Weil mein Dad kein Idiot ist! Nachdem sie abgehauen war, hat er sich bei ihren Arbeitskolleginnen umgehört und herausgefunden, dass sie eine Affäre mit einem Typ namens Jarvis hatte.«

»Na also!«, triumphierte ich. »Ich meine, es war nicht okay, dass sie ihn betrogen hat, aber das beweist doch nur, dass Jarvis mein Dad ist!«

»Meinst du?«, sagte Joe hämisch. »Da irrst du dich aber! Denn ein paar Monate später saß mein Dad im Bus und sah sie mit ihrem dicken Bauch auf der Straße.«

Ich wusste, dass das noch nicht alles war.

»Und neben ihr latschte ein Typ, schwer beladen mit Tüten aus diesem Mutter-und-Kind-Laden – wie heißt der noch gleich? Ach ja – Mothercare!«

»Aber das ist doch kein Beweis ...«, fing ich wieder an.

»Mein Dad ist an der nächsten Haltestelle ausgestiegen, um sie zu suchen, konnte sie aber nicht finden. Doch ein Jahr später war er auf Montage in Brighton, und da hat er den Kerl gesehen, wie er ein Baby in einem Buggy spazieren fuhr.«

Seine Stimme wurde leise.

»Das war Jarvis. Mein Dad wollte eigentlich nur ein Wörtchen mit ihm reden, rauskriegen, wo genau meine Mutter abgeblieben war. Und da hat er es gecheckt.«

»Was denn?«, wollte ich schon fragen, aber ich ließ es bleiben. Mir war klar, was Joe antworten würde.

»Er sah die Kleine in der Karre an«, fuhr er fort, »und das Baby sah ihn an. Ihre Augen – deine Augen – waren genauso wie seine und meine.«

Joe fuhr sich mit den Fingern durchs Haar und rieb sich die Schläfen.

»Und weißt du was?«

Ihm versagte die Stimme und er wandte sich ab.

»Was?« Ich ging einen Schritt auf den Tisch zu, einen Schritt näher ans Handy.

»Dann hat Jarvis meinem Dad angeboten, ihm das Kind – dich! – abzukaufen!«

Ich war schon drauf und dran, mir das Telefon zu schnappen, als Joe herumfuhr und mich anblickte. Sofort ließ ich die Hand sinken und tat so, als müsste ich mich am Schenkel kratzen.

»Das ist doch lächerlich!«, brauste ich auf, als mir aufging, was seine Worte bedeuteten. »Er hätte niemals ...«

»Doch, doch! Mein Dad hat ihm gesagt, er könnte ja einen Vaterschaftstest machen lassen, um zu beweisen, dass du sein Kind bist, und da hat Jarvis gemeint, er würde meinem Dad jeden Monat etwas bezahlen, solange er den Mund hält und sich von dir fern hält. Und darauf ist mein Vater eingegangen.«

Mir wurde übel. Wie hatte er so etwas tun können? Wie hatten die beiden so etwas tun können? Es war schlimm genug, dass mein Dad – ich meine, Jarvis – einem anderen Mann einfach sein Kind abkaufte. Aber noch viel schlimmer fand ich, dass Joes Vater – mein

Vater – sich für mich bezahlen ließ, als wäre ich ein Gebrauchtwagen, ein Fernseher, ein Kühlschrank.

»Der hat nix von Liebe verstanden, da kannst du Gift drauf nehmen!«

Der Satz hallte in meinem Kopf wider. Ich erinnerte mich nicht nur an den Wortlaut, sondern auch daran, wie Mum ihn von sich gegeben hatte – als wäre sie tief drinnen schrecklich verletzt. Zu dem Zeitpunkt hatte sie zwar schon ein paar Gläser getrunken, aber plötzlich wurde mir klar, dass sie gar nicht meinen Dad – ich meine, Jarvis – gemeint hatte, sondern vielmehr Joes Vater.

»Dad hat euch im Auge behalten, euch alle!«, schrie Joe. »Er ist ja nicht blöd. Immer wenn ihr umgezogen seid, hat sich die Zahlung von Jarvis verspätet – der dachte dann wohl, er hätte uns abgeschüttelt. Aber Dad hat ihn immer wieder aufgespürt, und jedes Mal musste er dafür draufzahlen, dass er versucht hatte, ihn zu betrügen.«

Ich schluckte schwer.

»Und Mum?«

Ich musste es wissen. Ich musste wissen, welche Rolle sie in diesem schmutzigen, ekelhaften Theater spielte.

»Die? Die hat gar nichts davon gewusst! Jedes Mal wenn Dad drohte, dass er sie sich vorknöpfen wollte, hat Jarvis ihm noch mehr Geld bezahlt. Hat gesagt, dass er dich schrecklich lieb hätte und nicht zulassen könnte, dass man dir wehtut. Jammer, jammer!«

Mir schossen die Tränen in die Augen. Also hatte er mich doch lieb gehabt. Ich konnte seine Liebe immer noch spüren. Auch wenn er nicht mein leiblicher Vater war – er war der einzige Vater, den ich kannte. Dass ich ihm so viel bedeutet hatte, war das Einzige, was zählte.

»Aber warum will dein Dad mir jetzt wehtun?«, stammelte ich. »Wenn ich doch seine eigene Tochter bin ...«

Noch während ich das sagte, kam mir eine Idee.

»Würde er mich vielleicht gern kennen lernen?«

Joe öffnete den Mund, aber ich konnte nicht zulassen, dass er das Thema wechselte.

»Warum bringst du mich nicht zu ihm? Ich will ihn unbedingt kennen lernen – ich meine, er ist doch immerhin mein Vater!«

Joe runzelte die Stirn.

»Das ist aber nicht geplant...«, begann er. »Er hat nie gesagt, dass er dich sehen will.«

Damit drehte er sich um und fing wieder an, auf und ab zu tigern. Ich machte einen weiteren Schritt auf das Handy zu, während ich innerlich Stoßgebete zum Himmel schickte und laut redete.

»Und du könntest inzwischen meine Mum besuchen und ihr sagen, wer du in Wirklichkeit bist und...«

Aber da hatte ich schon wieder das Falsche gesagt.

»Geniale Idee!«, höhnte Joe. »Damit die mich einbuchten, weil ich dich entführt habe? Ja, spinnst du?«

»Die buchten dich höchstens ein, wenn du mich *nicht* zurückbringst!«, erwiderte ich. »Du hast doch selbst gesagt, dass die Polizei mich sucht. Aber wenn du mich freiwillig nach Hause bringst und ich sage, dass du mein verschollener Bruder bist und so tue, als ob das alles meine Idee gewesen wäre, dann dürfte doch alles in Butter sein, oder?«

Ich wusste, dass ich dummes Zeug redete, aber er hörte mir wenigstens zu.

»Meine Mum ist jetzt bestimmt außer sich vor Angst! Du hast es ihr heimgezahlt, du hast dich gerächt. Damit kann dein Dad doch zufrieden sein?«

Joe lachte trocken.

»Zufrieden? Der wäre nur zufrieden gewesen, wenn Jarvis sich nicht einfach davongestohlen und Selbstmord begangen hätte. Gerade als Dad seine Trumpfkarte ausspielen wollte.«

»Was?« Jetzt war ich schon wieder total verwirrt.

»Unsere fiese Mutter hat doch den tollen Jarvis geheiratet, nicht?«

»Ja, klar.« Ich versuchte, die Boshaftigkeit in seiner Stimme zu ignorieren. »Sie mussten schließlich heiraten. Ich war ja unterwegs – das weißt du doch.«

»Nur dass sie es vorher versäumt hat, sich von meinem Dad scheiden zu lassen«, meinte Joe hämisch.

»Soll das heißen...?«

Ich musste irgendwas missverstanden haben.

Joe nickte.

»Bigamie«, erklärte er. »Sie war mit zwei Männern gleichzeitig verheiratet. Dad hat das rein zufällig rausgefunden – er war davon ausgegangen, dass sie einfach nur zusammenleben. Jarvis hat ja nie einen Ehering getragen.«

Ich schüttelte den Kopf.

»Nicht mal eine Uhr«, sagte ich. »Er hatte eine empfindliche Haut, eine Allergie gegen Metall und –«

»Jedenfalls«, unterbrach mich Joe, »war es dann Jarvis, der die Katze aus dem Sack ließ. Er hatte eine Rate nicht gezahlt, und mein Dad drohte, demnächst bei ihm auf der Matte zu stehen. Aber Jarvis sagte, das dürfte er auf keinen Fall machen, weil es sein Hochzeitstag wäre, und er würde das Geld ein paar Tage später vorbeibringen und sogar noch etwas drauflegen, wenn Dad sich an die Abmachung hielte.«

Er kickte mit dem Fuß gegen die Wand.

»Und da wollte Dad den großen Coup landen. Er hat zu ihm gesagt, dass er ihm zwei Wochen gibt, um zehntausend Pfund aufzutreiben, sonst würde er zur Polizei gehen und deine Mum wegen Bigamie anzeigen.«

Ich schnappte nach Luft.

»Zehntausend Pfund? Aber das ist ja wahnsinnig!«

Ich wusste, dass mein Vater niemals so viel Geld hätte beschaffen können.

Joe zuckte die Achseln.

»Das habe ich ihm auch gesagt. Aber Dad hatte seinen Job verloren und wollte wohl mal sein Glück probieren. Nur dass Jarvis sich dann umgebracht hat. In derselben Nacht!«

In dem Moment sah ich nur noch rot.

»Also hat dein Dad ihn auf dem Gewissen! Das hat er in seinem Abschiedsbrief sagen wollen – dass er nicht so viel Geld zusammenkratzen kann! Deshalb hat er sich in der Garage eingeschlossen und den Staubsaugerschlauch genommen und ...«

Ich ließ mich auf den Fußboden fallen, heulte los und konnte nicht mehr aufhören. Noch einmal sah ich alles vor mir: wie ich in die Garage ging, um mein Fahrrad zu holen, und die Tür verschlossen fand. Wie ich den Schlüssel holte, die Tür aufstieß, wie mir von den Abgasen übel wurde. Und wie Dad da saß, grau und still, übers Steuer gebeugt. Ich konnte mich schreien, kreischen, heulen hören; sah dann Mum, die aus dem Haus gelaufen kam, mit den Fäusten aufs Autodach trommelte ...

»Jetzt wein doch nicht!«

Joe legte mir die Hand auf die Schulter. Es kostete mich echt eine Menge Energie, ihn nicht wegzustoßen, aber wenn er Gefühle zeigte, musste ich das ausnutzen. Und zwar schnell.

»Und warum ist unser Dad dann nicht zu Mum gegangen? Warum hat er sich nicht mit ihr ausgesprochen?«

Die Frage schien Joe zu überraschen.

»Das weiß ich auch nicht genau – wahrscheinlich, weil er das für sinnlos gehalten hat. Ich meine, er war ja vor allem scharf auf das Geld und Jarvis hat nichts als Schulden hinterlassen ...«

»Daran brauchst du mich nicht zu erinnern!«, schoss ich zurück. »Jetzt wissen wir ja, warum! Mum hat das sowieso nie verstanden – Dad war immer so vorsichtig mit Geld, fast schon geizig. Wir haben nie einen teuren Urlaub oder ein tolles Auto gehabt. Erst als wir rausfanden...«

Ich hielt inne. Joe brauchte nichts von den zusammengeknüllten Wettscheinen zu wissen, die in Dads Hosentasche gefunden worden waren – wo Dad doch nie im Leben gespielt hatte, nicht mal im Lotto, weil er fand, man könnte sein Geld genauso gut verbrennen. Aber jetzt passte alles zusammen. Er hatte offensichtlich beim Pferderennen gewettet und gehofft, genug zu gewinnen, um Joes Dad auszuzahlen.

»Aber wenigstens hattest du eine Mutter!«

Joe schrie nicht mal mehr. Er ließ einfach die Schultern hängen, rutschte dann langsam zu Boden und legte den Kopf auf seine Knie.

»Ich hatte *keine* – und jetzt weiß ich nicht, was ich tun soll!«

Er weinte. Ich hätte mich am liebsten neben ihn gehockt und ihn getröstet, aber ich wusste, dass ich mir diese einmalige Gelegenheit nicht entgehen lassen durfte.

Ich streckte die Hand aus, schnappte mir das Handy, steckte es in meine Hosentasche, lehnte mich an die Wand und betete, dass er nichts gemerkt hatte.

Und da stehe ich jetzt schon seit mindestens fünf Minuten, ohne dass Joe sich gerührt hat. Ich wage es nicht, zur Tür zu gehen, damit er nicht misstrauisch wird. Und ein Anruf von hier aus wäre zu riskant. Die Tasten piepsen jedes Mal, wenn man auf eine Ziffer drückt, und dann wüsste er sofort, worauf ich aus bin.

»Joe, was ist das da draußen? Oh Gott, Joe – guck doch mal!«

Er spring sofort hoch und rennt zur Tür.

»Was? Was soll los sein?«

»Ich habe Leute gesehen«, rufe ich. »Sie sind ums Haus rumgegangen.«

Er tritt nach draußen, lässt die Hand dabei aber auf dem Türrahmen liegen.

Ich muss es riskieren.

Ich muss jetzt handeln.

Ich ziehe das Handy aus der Hosentasche. Meine Hände zittern so heftig, dass ich kaum die Tasten drücken kann.

»9–9–9!«

Joe schaut sich immer noch um.

»Mit wem darf ich Sie verbinden? Polizei, Krankenwag…«

»Polizei!«

Ich zische, traue mich nicht, lauter zu sprechen.

Joe dreht sich um.

»Polizei – was wünschen Sie?«

»Hilfe! Er will mir was antun. Ich bin auf der Foxhole Farm –«

»DU VERDAMMTES LUDER!«

Joe steht vor mir. Er reißt mir das Telefon aus der Hand, wirft es auf den Boden und schlägt mir ins Gesicht.

Ich kreische.

»HILFE!«

Als ich weglaufen will, hält er mich am Arm fest, wirft mich zu Boden, tritt mich – ein-, zwei-, dreimal.

Ich kann meine Schreie hören, als seine Faust auf meinem Kopf landet.

»Er hat Recht gehabt! Alle Frauen sind böse, gemein, hinterlistig! Jetzt blüht dir was!«

Er tritt mich wieder, dieses Mal in die Rippen. Der Schmerz dringt wie ein Messer in meinen Körper.

»Ich wollte das alles nicht, verstehst du?«, schluchzt und schreit Joe gleichzeitig. »Weißt du, was ich wirklich wollte? Dass du mich lieb hast!«

Er kniet sich neben mich. Sein Gesicht ist nur wenige Zentimeter von meinem entfernt, sein Atem heiß auf meiner Wange. Ausgerechnet jetzt muss mir auffallen, dass er Mundgeruch hat.

Ich zwinge mich, den Kopf ein Stückchen zu heben. Joes Gesicht ist tränenüberströmt. Er reibt sich die Augen wie ein kleiner Junge.

»Die ganze Zeit habe ich darüber nachgedacht, wie ich dich bestrafen kann, ohne dich umzubringen«, ruft er. »Aber du hast es vermasselt – jetzt muss ich tun, was er sagt!«

Er rappelt sich hoch, wühlt hektisch in seinen Hosentaschen herum und zieht eine Schachtel mit Streichhölzern heraus.

Er zündet eins an und hält die Flamme dicht an mein Gesicht.

»Joe! Nein! Bitte nicht!«

»Ich muss«, erklärt er. »Mein Dad will das so!«

»Mach dich doch nicht unglücklich!« Ich zwinge mich, den Würgereiz zu unterdrücken, und konzentriere mich darauf, Zeit zu gewinnen. »Warum musst du denn deinem Dad die ganze schmutzige Arbeit abnehmen? Wenn er mich umbringen will, dann soll er es gefälligst selbst tun!«

Joe sagt nichts. Er starrt mich nur an.

»Denk doch mal nach, Joe«, stammele ich und schluchze dabei vor Schmerzen. »Falls du mir was antust, wirst du garantiert geschnappt und wanderst dafür in den Knast, aber er kommt ungeschoren davon. Ich meine, er wird doch nicht… au!«

Selbst wenn ich mich nur geringfügig bewege, durchzuckt mich ein Schmerz, der nicht zum Aushalten ist.

»Was wird er nicht?« Joe wirkt ungerührt, aber zumindest hat er das Streichholz abbrennen lassen und zündet kein neues an.

»Er wird wohl kaum zugeben, dass die Idee von ihm stammt, oder? Aber wenn du der Polizei die ganze Wahrheit sagst, dann kannst du beweisen, dass du keine Schuld daran hast…«

»Die Polizei wird gar nichts erfahren!«, brüllt Joe und zündet das nächste Streichholz an. »Denn bis die hier ist – wenn sie überhaupt kommt –, bist du schon völlig verkohlt!«

Jetzt begreife ich: Er ist wahnsinnig. Und ich muss sterben.

Lydia

Montag, 2. Juli
16:45 Uhr

*I*ch brauche einen Drink. Nicht dass ich hier was kriegen würde außer einer Tasse Tee nach der anderen, während sie mir ihre endlosen Fragen stellen. Ich bin ja nicht verhaftet oder so was. Das versichern sie mir immer wieder – sie wollen mich nur dabehalten, weil sich die Ereignisse überstürzen.

Ich habe ihnen die ganze Geschichte erzählt – wie Nathan mich regelmäßig zusammengeschlagen hat; wie er immer zu Joe sagte – selbst als der noch zu klein war, um etwas zu verstehen –, dass Daddy ihn lieb hat, weil er ein Junge ist, aber dass alle Frauen Dreck sind. Ich habe ihnen geschildert, wie Nathan mich an dem bewussten Tag in den Magen geboxt hat und wie mir plötzlich klar wurde, dass ich nicht bleiben konnte. Ich habe ihnen sogar erzählt, dass ich nie eine richtige Beziehung zu Joe entwickelt habe.

Sie waren nett. Sie haben nicht ein einziges Wort der Kritik geäußert. Sie haben nur zugehört, selbst als ich weinend zusammenbrach.

Ich wollte ihnen gerade von Jarvis' Brief erzählen, den ich an jenem Morgen bekam und in dem stand, dass er mich ewig lieben und ehren würde, als ein Polizist an die Tür klopfte und sagte, er müsste unbedingt den Inspektor sprechen. Die beiden sind nur kurz rausgegangen, aber als der Inspektor zurückkam, merkte ich gleich, dass er Neuigkeiten hatte.

»Wir haben gerade einen Anruf von einer Frau aus Eddington in Sussex erhalten«, sagte er. »Ihr Hund hat etwas gefunden…«

Er zögerte kurz. Ich griff nach der Tischkante. Alle möglichen Schreckensszenarien schossen mir durch den Kopf.

»…einen silbernen Turnschuh auf dem Feldweg, wo sie mit ihrem Hund spazieren gegangen ist«, schloss er.

»Ist er von Katie?«

Er seufzte.

»Das wissen wir noch nicht genau«, sagte er leise. »Der Hund hat ihn apportiert, aber sie hat den Schuh weggeworfen. Erst als sie heimkam und die Nachrichten schaute, hat sie sich alles zusammengereimt. Doch nach der Beschreibung zu urteilen, sieht es ganz danach aus. Ja.«

Ich merkte, wie mir der Atem stockte, wie meine Lippen zu zittern anfingen. Ich fühlte mich total benommen.

»Heißt das…?«

Meine schlimmsten Befürchtungen konnte ich nicht aussprechen. Wenn Katie einen Schuh verloren hatte, was für andere Kleidungsstücke waren dann… Hatte ihr jemand…?

»Die Polizei in Sussex verhört die Zeugin noch«, erklärte der Inspektor. »Sie erinnert sich, einen Landrover gesehen zu haben, mit ›zwei Kindern drin‹, wie sie es ausdrückt. Sie sagt, die beiden hätten herumgealbert – sie hat sich nicht viel dabei gedacht, weil es mitten auf dem Feld war und man da ja keinen Führerschein braucht.«

Er hielt kurz inne.

»Aber sie meinte, sie hätte jemanden schreien hören, als der Landrover vorbeifuhr«, fuhr er fort. »Leider gehört sie wohl zu den Leuten, die sich nur um ihre eigenen Angelegenheiten kümmern – aber das hat sie gesagt, nicht ich.«

Ich konnte nicht mehr. Mir kam es vor, als würde sich rasend schnell ein Video vor mir abspulen: Katie als Baby, das von Jarvis in die Luft geworfen wird und jauchzt; Katie, die in die Schule kommt, mit ihrer braun-goldenen Uniform und den Affenschaukeln; Katie, die Radfahren lernt.

Aber es tauchten auch schlimmere Bilder auf.

Ich sah mich, wie ich sie schlage, sie die Treppe runterwerfe, mich morgens übergebe, während sie vor der Badezimmertür schluchzt. Wie sie frühmorgens an meinem Bett steht, wenn ich schreiend aus dem letzten Albtraum hochschrecke und mich dann umdrehe, diese großen Augen sehe und einen kurzen Augenblick lang denke, dass da der kleine Joseph steht.

Aber weil er es nicht war, habe ich meine Schuldgefühle an Katie ausgelassen.

»Ich war eine miserable Mutter, Inspektor«, schluchzte ich. »Bitte finden Sie meine Katie, dann verspreche ich auch, dass ich mich in Zukunft zusammenreißen werde. Bitte, bitte, bitte, finden Sie sie …«

Daraufhin rief er eine Polizistin rein und ich bekam noch eine Tasse Tee serviert. Dann hieß es, ich könnte bald nach Haus gehen.

Ich weiß gar nicht, ob ich das will.

Ich glaube nicht, dass ich jetzt allein sein und warten kann.

»Lydia!« Die Tür geht auf und da steht der Inspektor wieder und dieses Mal lächelt er.

»Katie hat sich gemeldet!«

Was? Was hat er gesagt? Ich sehe ihn total entgeistert an. Ich dachte, er hätte gesagt, dass Katie …

»Sie hat uns tatsächlich angerufen«, erklärt er. »Es war ein Notruf und wir haben das Signal zurückverfolgen können. Jeder Streifenwagen in der Gegend sucht jetzt nach ihr, außerdem haben wir Spürhunde und einen Polizeihubschrauber eingesetzt. Wir werden sie schon finden, Lydia. Ganz bestimmt!«

Es ist seltsam.

Ich kann ihm zunicken, aber sprechen kann ich nicht. Ich öffne meinen Mund, aber es kommt kein Ton heraus.

»Sie wissen wohl nicht zufällig...« Der Inspektor zögert.

»Was denn?«

»Also, Katie hat irgendwas von Foxhill oder Fox...«

»Foxhole! Oh, mein Gott, er hat sie zur Foxhole Farm gebracht!«

Jetzt ist der Inspektor ganz Ohr.

»Sie kennen den Ort?«

Ich nicke.

»Die Farm ist in Sussex – aber das wissen Sie ja –, eine ziemliche Ruine, nicht weit von Fulking entfernt, an der Landstraße.«

»Toll! Das ist toll!«

Und dann lässt er mich mit einem anderen Polizisten allein.

Jetzt kann ich nur noch beten. Lieber Gott, ich war ein schlechter Mensch, ich habe gesündigt, ich habe eine Million Fehler begangen, aber wenn du mir Katie zurückbringst, will ich alles tun, um mich zu bessern. Wirklich alles.

»Geht es Ihnen einigermaßen, Mrs Fordyce?«

Ich nicke dem Polizisten zu und bete weiter.

Tom

Montag, 2. Juli
17:15 Uhr

*N*icht hingucken. Nicht auf die Lehrerin, nicht auf das Essen, nicht auf das Video.

Man kann nirgendwohin gucken, wenn der Hinterkopfschmerz kommt, und gerade jetzt kommt er. Heiß, stechend, kriecht er den Nacken rauf und in meinen Schädel, sodass ich strampeln und mit den Armen wedeln muss.

Kopf hauen, Schmerzen hauen, damit sie weggehen!

Augen zu, Hände fest drauf, damit die Blitze tanzen – orange und lila und grün. Die machen Muster.

Katie ist da. Katie ist in den Mustern. Katie ruft, Katie weint.

Katie ist in den Orangeblitzen.

KATIE! KATIE!

Die Lehrerin kommt angerannt. Nimmt meine Hände, zieht sie mir von den Augen weg.

Ein Tritt!

Bloß damit sie weggeht!

Ich will die Muster sehen. Die Blitze.

Ich will Katie sehen.

Katie

Montag, 2. Juli
17:20 Uhr

*E*r dreht durch. Er zündet immer wieder neue Streichhölzer an und wirft sie durchs Zimmer. Die flatternden Zipfel eines Vorhangs fangen Feuer und brennen lichterloh; er zündet den nächsten Vorhang an. Die Flammen züngeln daran hoch.

Dann macht er eine Kerze an und schleudert sie in den Zeitungsstapel. Die Ränder verkohlen und kräuseln sich. Dünne Rauchfähnchen steigen auf.

Jetzt ist er neben mir, mit einem brennenden Streichholz.

»Nein, Joe, nein!«

Aber er zieht mich am Handgelenk hoch. Ich schreie auf. Der Schmerz in meinen Rippen lässt mich nach vorn fallen, ich greife mir an die Brust.

Er zerrt mich ans Fenster. Der Vorhang ist bereits versengt, die Flammen breiten sich am Volant entlang zur anderen Seite aus. Er zündet noch mehr Streichhölzer an und wirft sie nach draußen. Das wuchernde Unkraut, völlig trocken von der Sommersonne, brennt wie Zunder. Die Flammen wandern am Haus entlang.

Dann fährt er herum und starrt mich an.

»Zieh dich aus!«

Ich will nicht. Ich kann nicht. Ich weiche zurück.

»Du musst! Ich will doch nicht, dass du stirbst!«

Ich bleibe stehen. Sehe ihn entgeistert an. Mein Herz hämmert, mein Mund ist ausgedörrt von dem Rauch, der mir in die Nasenlöcher dringt.

»Ich muss deine Kleider verbrennen, damit er glaubt, dass du tot bist!«

Er drückt mich an die Wand, lässt sich auf ein Knie runter und zerrt an meinem übrig gebliebenen Schuh.

Ich hebe den Fuß und trete ihn ganz fest dahin, wo es den Männern am meisten wehtut.

Er schreit los, rollt sich auf die Seite, fasst sich in den Schritt.

»Du blöde, blöde…« Ein Schluchzen erstickt seine Worte.

Ich renne zur Tür. Das trockene Gras brennt, aber die Flammen haben noch nicht den Weg erreicht. Steine schneiden mir beim Laufen in die Füße, und ich habe das Gefühl, als würden meine Lungen jeden Augenblick platzen. Der Schmerz in den Rippen wird immer schlimmer.

Ich höre das Feuer hinter mir knacken und knistern. Ich werfe einen schnellen Blick zurück und bleibe stehen.

Joe läuft nicht hinter mir her.

Joe ist noch drin.

»Joe!«

Ich drehe mich um und schreie ganz laut, doch als ich Luft holen will, tut es so weh, dass ich der Länge nach in die Brennnesseln falle.

Warum kommt er nicht raus? Wenn er im Haus bleibt, muss er sterben.

Ich rappele mich auf. Von den Nesseln brennen mir die Wangen, und meine Augen tränen vom Rauch, der mir aus dem Haus entgegenweht.

Ich kann ihn doch nicht einfach zurücklassen.

Warum eigentlich nicht? Schließlich hat er mich immer wieder allein gelassen, mich gefesselt und geschlagen. Und er wollte mich in den Flammen sterben lassen.

Aber er hat es nicht fertig gebracht. Im letzten Moment wollte er doch nicht, dass ich sterbe. Das hat er selbst gesagt.

Und ich will genauso wenig, dass er stirbt.

Er ist immerhin mein Bruder.

Ich gehe einen Schritt auf das Haus zu, aber weiter komme ich nicht. Ich kann nicht. Die ganze Farm steht in Flammen.

Ich muss Hilfe holen. Wenn ich zum Feldweg renne, stoße ich vielleicht auf einen Bauern oder auf einen Spaziergänger.

Aber ich kann nicht mehr rennen. Ich kann nur noch gehen, und auch das nur unter Schmerzen. Ich schlinge mir die Arme um die Brust und taumele vorwärts, lasse die Blicke nach links und rechts schweifen und bete, dass jemand vorbeikommt.

Ich muss stehen bleiben. Mir ist furchtbar schlecht und schwindlig. Ich muss mich setzen, nur eine Minute. Eine Minute wird ja wohl drin sein.

Ich zwinge mich, zum Haus zurückzusehen. Aus dem Fenster quillt Rauch. Joe wird sterben.

Ich darf nicht sitzen bleiben, ich muss weiter.

Die Tränen strömen mir übers Gesicht, in meinem Kopf pocht es laut, die Ohren dröhnen.

Das Dröhnen wird lauter.

Ich wünschte, es würde aufhören. Ich will mich nur noch hinlegen und schlafen.

Aber es hört nicht auf, es wird immer lauter – ein unaufhörliches Surren wie von einem Motor.

Ein Motor!

Ich sehe hoch und da ist er. Ein Hubschrauber! Er fliegt über das Haus und auf mich zu.

Ich springe auf, wedle mit den Armen, schreie, weine.

Ein Arm wird herausgestreckt. Jemand winkt mir zu.

»Joe ist noch drin!«, rufe ich, aber natürlich kann das niemand hören.

Der Hubschrauber kreist über mir, dreht dann plötzlich ab und fliegt weg.

»Lasst mich nicht allein!«

Die können doch nicht einfach wieder wegfliegen. Ich weiß, dass sie nur Hilfe holen, aber ich halte es nicht mehr aus. Es tut so weh, meine Beine sind taub, vor meinen Augen verschwimmt alles und ich habe entsetzliche Angst. Ich will, dass jemand bei mir ist. Jetzt. Sofort.

Aber er fliegt nicht weg – er kreist über dem Feldweg, genau über der Hecke. Plötzlich höre ich neben dem Surren der Propeller ein Martinshorn. Mir bleibt fast das Herz stehen. Ich traue mich nicht hinzugucken. Bitte, bitte, lass es die Polizei sein!

Irgendetwas kommt näher. Ich drehe den Kopf.

Ein Polizeiauto bremst mit quietschenden Reifen, Türen schlagen, zwei Gestalten rennen los, halten dann aber inne.

»Hier! Ich bin hier!«

Ich höre eine Trillerpfeife schrillen und nun kommen sie auf mich zugerannt.

Jetzt ist alles gut.

Endlich kann ich mich hinsetzen und schlafen.

Lydia

Montag, 2. Juli
18:10 Uhr

Sie haben sie gefunden! Sie haben meine Katie gefunden! Sie ist verletzt und steht unter Schock, aber sie lebt.

Sie bringen sie gerade nach Brighton ins Krankenhaus und schicken mir einen Wagen, damit ich zu ihr fahren kann.

Joseph haben sie auch gefunden, aber was mit ihm los ist, wollen sie mir erst unterwegs erzählen. Toms Lehrerin hat gesagt, sie behält Tom bei sich in der Schule, bis ich wiederkomme; ein Glück, dass in dem angeschlossenen Heim ein Bett frei ist. Ich weiß nicht, wie er damit fertig wird, dort zu schlafen, weil er doch seine vertraute Umgebung braucht, aber was soll ich machen? Wahrscheinlich muss Katie ein paar Tage im Krankenhaus bleiben und mein Platz ist jetzt an ihrer Seite.

Ich muss Grace Bescheid geben, dass Katie wohlauf ist. Es wird bestimmt seltsam, wieder nach Brighton zu kommen. An dem Tag, als ich wegging, habe ich mir geschworen, nie mehr zurückzukehren.

Aber jetzt kann ich es kaum erwarten.

Katie

Montag, 2. Juli
20:00 Uhr

*K*ein Mensch will mir was über Joe erzählen. Heißt das etwa, dass er tot ist? Die Ärzte und Krankenschwestern meinen, dass ich Ruhe brauche und mich nicht aufregen darf. Sie haben mir zwei weiße Pillen gegeben und gesagt, dass jetzt alles gut wird.

Aber nicht für Joe. Ich habe Angst vor ihm und ich will nie wieder mit ihm allein sein, aber ich will auch nicht, dass er stirbt. Schließlich hat er mich verschont. Er hätte mich umbringen können, wie sein Dad das wollte, aber er hat es nicht über sich gebracht.

Obwohl ich todmüde bin, muss ich die ganze Zeit an ihn denken: wie er da auf dem Fußboden liegt und sich das Feuer ausbreitet. Wenn ich ihn nicht so fest getreten hätte, dann wäre er nicht hingefallen, und wenn er nicht hingefallen wäre ...

Wenn er stirbt, dann ist das meine Schuld. Er hat mich leben lassen und ich habe ihn umgebracht.

»Na, na, Katie, was hast du denn?«

Die Krankenschwester hockt sich ans Fußende meines Bettes, obwohl auf dem Schild steht, dass das strengstens verboten ist. Ich merke, dass ich laut schreie.

»Hat Joe es überlebt? Das müssen Sie mir sagen! Bitte! Bitte!«

»Joe?«

Sie wirkt verblüfft.

»Der Junge im Haus ... mit dem Feuer ... mein Bruder ...«

Mir fallen die Augen zu.

»Jetzt schlaf erst mal schön«, säuselt sie. »Und wenn du wieder aufwachst, ist deine Mutter schon hier. Darauf freust du dich doch, nicht?«

Ja. Mum. Ich freue mich. Aber was ist mit Joe?

»Und Joe? Wie geht es ihm?«

Die Gestalt der Krankenschwester verschwimmt vor meinen Augen.

»Das werd ich gleich für dich rausfinden – aber jetzt musst du brav schlafen.« Brav schlafen. Und später an Joe denken.

Schlafen. So müde. So müde.

Tom

Montag, 2. Juli
20:30 Uhr

*M*eine Lehrerin ist gegangen und hat mich mit der dicken Frau allein gelassen. Alle sagen Hausmutter zu ihr. Ich will nicht hier schlafen: Ich will mein Bett mit der Wellenmusterdecke und dem dicken Klumpen am Fußende.

Die dicke Frau Hausmutter sagt, ich muss hier schlafen, weil Mum Katie holen gefahren ist. Sie sagt, weil ich ein so braver Junge bin und so gut zeichne, haben sie Katie gefunden.

Katie ist bei den Tieren und den Füchsen. Sie ist mit dem Joe weggegangen. Ich will, dass Mum Katie zurückbringt, aber der Joe soll nicht mitkommen.

Der Joe ist böse.

Ich weiß, dass der Joe böse ist.

Ich bin ja nicht blöd.

Grace

Montag, 2. Juli
22:00 Uhr

*I*ch weiß auch nicht, warum ich die ganze Zeit das Telefon anstarre. Lyddy hat weiß Gott Besseres zu tun, als mich gleich anzurufen, wenn sie im Krankenhaus ankommt... Bill meint, ich solle froh sein, dass das arme Kind überhaupt noch am Leben und in Sicherheit ist, aber ich frage mich dauernd, wie es Katie jetzt wohl geht? Was ihr in den letzten paar Tagen zugestoßen ist? Man hört ja immer so schlimme Sachen in den Nachrichten. Es dreht mir den Magen um, wenn ich nur dran denke.

Und natürlich geht mir auch dieser Joseph nicht aus dem Kopf. Was soll werden, wenn sie tatsächlich seine Mutter ist? Und wenn sie den armen Jarvis geheiratet hat, obwohl sie noch mit jemand anderem verheiratet war, wird man sie dafür bestrafen?

Mittlerweile müsste sie eigentlich angekommen sein.

Ich kann mir gut vorstellen, was sie fühlen wird, wenn sie Katie sieht. Ich weiß jedenfalls, was ich fühlen würde, wenn Gareth jetzt durch die Tür käme.

Was er natürlich nicht tun wird. Bill meint, ich verschwende zu viel Zeit mit Wunschdenken.

Aber manchmal ist Wunschdenken alles, was einem übrig bleibt.

Lydia

Montag, 2. Juli
23:45 Uhr

*I*ch kann mich gar nicht an ihr satt sehen. Jetzt schläft sie, die Arme – ihr Gesicht ist übel zugerichtet, das Schlüsselbein gebrochen. Der Arzt hat mir gesagt, dass sie auch zwei gebrochene Rippen und etliche Schnittwunden an den Füßen hat, aber keine bleibenden Schäden. Gott sei Dank!

Die Krankenschwestern reden mir zu, ich soll schlafen gehen, aber ich kann hier nicht weg. Irgendwie habe ich das Gefühl, wenn ich mich auch nur eine Sekunde umdrehe, dann verschwindet sie wieder.

Als ich hereinkam, brachte ich kein Wort heraus. Ich habe sie nur in die Arme geschlossen und gedrückt und hin und her gewiegt und wir haben beide geweint. Die Krankenschwestern waren sehr nett. Sie haben die Vorhänge um ihr Bett zugezogen und uns in Ruhe gelassen.

Irgendwann haben Katie und ich gleichzeitig den Mund aufgemacht und es ist nur so aus uns herausgesprudelt.

»Mum, es tut mir so Leid!«

»Katie, verzeih mir! Ich wollte nicht...«

»Mum, Joseph hat mich über...«

»Schon gut, Katie. Ich werde dir alles erzählen, später...«

»Ist er tot, Mum? Das musst du mir sagen.«

Ich erstarrte innerlich. »Tot? Nein, Schatz, aber keine Angst, ich sorge schon dafür, dass du ihn nie wieder sehen musst...«

Katie ergriff meine Hand.

»Er ist nicht tot? Ganz bestimmt nicht? Er lebt? Wirklich?«

Sie schien richtig froh zu sein. Ich wurde nicht aus ihr schlau.

»Er liegt in einer anderen Klinik«, erklärte ich. »Mit einer Rauchvergiftung und Verbrennungen. Das geschieht ihm ganz recht. Wenn ich nur daran denke, was er dir antun wollte...«

Ich spürte einen so heftigen Würgereiz, dass mir die Luft wegblieb. Obwohl ich Katie wohlbehalten vor mir sah, war der Gedanke, was beinahe passiert wäre, einfach zu entsetzlich.

»Er hätte mich kaltmachen können, Mum«, brach es aus Katie hervor. »Aber er hat es nicht getan. Er hat es einfach nicht über sich gebracht, obwohl sein Dad...«

Ich merkte, wie sie zusammenzuckte.

»Er war doch auch mein Vater?«, flüsterte sie.

Eine Sekunde lang wollte ich es abstreiten, ihr sagen, dass das ein Missverständnis wäre, aber ich hatte die Nase voll vom Lügen und Heucheln. Ich wollte das Versprechen halten, das ich Gott gegeben hatte.

»Ja«, flüsterte ich. »Aber Jarvis hat dich geliebt, Jarvis hat dich als sein eigenes Kind angesehen. Er hat nie herausgefunden...«

»Doch, Mum! Und deswegen hat er sich das Leben genommen. Weil Nathan ihn erpresst hat und er nicht genug Geld aufbringen konnte.«

Mir gefror das Blut in den Adern.

»Nathan? Ja, wie...?«

»Er hat uns beide die ganzen Jahre beschattet, Mum!« Sie zitterte unwillkürlich. »Er wusste, dass ich seine Tochter bin – wegen meinen Augen.«

Diese Augen sahen mich jetzt an und ich wandte als Erste den Blick ab.

»Er hat mit allem Möglichen gedroht und Dad hat ihm Schweigegeld gezahlt«, fuhr Katie flüsternd fort, damit ihre Bettnachbarin nichts mitbekam. »Und am Ende hatte Dad kein Geld mehr.«

Eine Weile sagten wir beide kein Wort. Wir saßen nur da, weinten und hielten uns an den Händen. Ich dachte an Jarvis, der immer nur unser Bestes gewollt hatte, der freiwillig Überstunden gemacht und jede Geldverschwendung gehasst hatte. Ich erinnerte mich an die Wettscheine und wie wütend ich darüber gewesen war – dass ich ihn in Gedanken sogar noch nach der Beerdigung angebrüllt hatte, wieso er für so etwas Geld ausgab, während er mir keine neue Küche spendieren wollte.

Ich wusste, wie Katies nächste Frage lauten würde, noch bevor sie sie stellte.

»Mum, warum hast du ihn verlassen? Und warum hast du Joe nicht mitgenommen?«

Der erste Teil der Frage war leicht zu beantworten. Ich habe ihr von den Schlägen erzählt, und ich glaube, nach allem, was das arme Kind mit Joseph durchgemacht hat, konnte sie sich gut vorstellen, wieso ich geflohen war.

»Und Joe?«, hakte sie nach.

Ich hätte ihr sonst was auftischen können – behaupten, dass ich eigentlich vorgehabt hätte, Joe später zu holen. Oder dass ich ihn Nathan nicht wegnehmen wollte. Aber ich hatte ja geschworen, dass ich nie wieder lügen würde.

»Ich… ich habe ihn nie lieb gehabt.«

Jetzt war es raus. Es klang grausam und gemein, aber es war die Wahrheit und das war für mich ein gewaltiger Schritt nach vorn.

»Ich konnte ihn nicht lieben, Katie«, flüsterte ich, und es kümmerte mich nicht, dass mir die Tränen kamen. »Ich will ja die Schuld nicht auf andere schieben, aber als ich klein war, gab es niemanden, der mich lieb hatte – außer Grace natürlich. Mein

Vater hatte mich in ein Heim abgeschoben, und als ich später zu ihm zurückging, hat er mich entweder gar nicht beachtet oder geschlagen. Also habe ich mich dem erstbesten Mann an den Hals geworfen, der mich wollte.«

»Nathan?« Katie sah mich forschend an.

Ich nickte.

»Komisch, nicht? Ich bin von einem brutalen, lieblosen Vater direkt einem brutalen, lieblosen Ehemann in die Arme gelaufen«, sinnierte ich. »Als ich merkte, dass ich schwanger war, ging Nathan in die Luft. Er wollte kein Kind, wie er sagte, und ließ keinen Zweifel daran, dass ich dafür büßen müsste, wenn er wegen dem Baby zurückstecken müsste.«

»Also hast du versucht, Joe gar nicht erst zu lieben?«

Ich zuckte die Achseln.

»Das fiel mir nicht schwer. Nach seiner Geburt bekam ich Depressionen – es war ganz schlimm. Ich konnte nicht essen, nicht schlafen – konnte mich nicht mal dazu aufraffen, dem Kind die Windeln zu wechseln. Und komischerweise ist Nathan dann eingesprungen. Es war so, als hätten sich die beiden gegen mich verbündet – obwohl das absurd ist. Joseph war ja noch ein ganz kleines Würmchen.«

Ich seufzte.

»Ich hörte Nathan mit dem Kleinen in seinem Kinderbettchen reden, hörte ihn sagen, dass seine Mutter eine totale Niete wäre. Das muss er Joseph immer wieder eingehämmert haben.«

Ich drückte Katies Hand.

»Nach allem, was du durchgemacht hast, denkst du jetzt wohl genauso von mir.«

Sie schlang mir die Arme um den Hals.

»Nein, Mum. Ich kann es nicht ausstehen, wenn du ausrastest, aber ich hab dich lieb. Echt.«

Ihre Augen füllten sich mit Tränen.

»Hast du … ich meine … wirst du manchmal so böse, weil du mich auch nicht lieben kannst?«

Die Frage brach mir fast das Herz. Aber ich konnte sie ihr nicht verübeln. Ich wusste ja selbst, wie ich mich benommen hatte.

»Katie, ich liebe dich sehr«, sagte ich und drückte sie fest an mich. »Ich hab nur all die ganzen Jahre solche Schuldgefühle gehabt.«

Dann fing ich wieder an zu weinen, aber Katie hatte noch eine Frage.

»Und das Baby, das gestorben ist?«

Ich schluckte schwer.

»Das hat nie existiert«, gestand ich ihr. »Das habe ich mir ausgedacht, weil ich Angst hatte, dass ich vielleicht irgendwann mal ins Krankenhaus müsste und du dann in meinen Unterlagen nachlesen könntest, dass ich nicht zwei, sondern drei Kinder geboren habe. Ich wollte nicht, dass du nach deinem …«

Das Wort wollte mir kaum über die Lippen.

»… deinem Bruder suchst.«

Katie machte den Eindruck, als hätte sie noch eine Menge mehr Fragen an mich, aber in dem Moment kam die Krankenschwester zurück und sagte in einem Ton, der keinen Widerspruch duldete, die Patientin brauchte jetzt Ruhe. Katie schlief auch prompt ein, während ich immer noch ihre Hand hielt. Ich halte ihre Hand weiter und werde sie nicht loslassen.

Ich werde sie nie mehr loslassen.

Katie

Mittwoch, 4. Juli
13:00 Uhr

*I*ch weiß, es ist albern, aber je näher wir unserem Haus kommen, desto zittriger werde ich. Natürlich wollte ich so schnell wie möglich aus dem Krankenhaus raus. Ich konnte es kaum erwarten, heimzukommen. Doch solange ich auf der Station lag, kamen mir die schrecklichen Erlebnisse der letzten paar Tage wie ein böser Traum vor, etwas, das ich wegpacken und vergessen könnte.

Aber ich kann nichts vergessen. Ich glaube, das werde ich nie können.

Wir sind fast da. Eben sind wir durch die Spectacle Lane gefahren, an dem Baum vorbei, unter dem ich Joe zum ersten Mal getroffen habe. Wenn ich an jenem Morgen keinen Streit mit Mum gehabt hätte, wäre das alles nicht passiert. Mein Leben wäre einfach so weitergegangen.

Dabei weiß ich, dass das nicht stimmt. Joe war fest entschlossen, mich zu finden, und das hätte er auf jeden Fall geschafft. Eigentlich bin ich sogar froh, dass alles so gekommen ist, denn jetzt brauchen Mum und ich uns nichts mehr vorzumachen. Ich muss mich nicht dauernd davor hüten, sie auf die Palme zu bringen, weil sie ja in Wirklichkeit gar nicht böse auf mich war, sondern auf sich selbst. Ihre Vergangenheit hat sie verfolgt und sie wollte die ganze Zeit davor weglaufen.

Wir haben uns lange ausgesprochen und jetzt behandelt sie mich wie eine richtige Erwachsene. Ob das anhält, möchte ich bezweifeln. Wir werden uns bestimmt wieder streiten und dann flippe ich bestimmt wieder aus und schreie zurück, aber es wird trotzdem anders sein als vorher. Sie hat versprochen, dass sie sich Hilfe sucht wegen der Trinkerei und ihrer Abstürze, und ich glaube, sie meint es ernst, denn ich habe gehört, wie sie die Stationsschwester um Faltblätter zu dem Thema gebeten hat, bevor wir gingen. Sie sagt, sie hat Angst, weil eine Therapie bestimmt alle möglichen schmerzhaften Gefühle hochbringt, und ich habe genauso Angst. Ich will nämlich auch eine Therapie machen, wegen Joe. Wegen Joe und mir.

Ich wünschte, ich könnte ihn hassen, ihn aus meinem Gedächtnis streichen und nie wieder im Leben an ihn denken, aber das kann ich nicht. Ich liebe ihn nicht – oder wenigstens glaube ich das. Aber ich muss immer wieder daran denken, wie er zum Schluss war, verloren, verwirrt und – ach, ich weiß auch nicht – irgendwie liebebedürftig.

Wir sind wohl alle auf der Suche nach Liebe, Tag für Tag. Am meisten macht mir Sorgen, dass Joe niemanden hat. Die Polizisten behaupten, Nathan hätte eine Psychose. Ich weiß nicht ganz genau, was das bedeutet, aber der eine Beamte meinte, das wäre mal wieder ein Beweis dafür, dass die medizinische Versorgung in England nicht anständig funktioniert, und wenn er was zu sagen hätte, wäre der Mann ruck, zuck wieder in der Psychiatrie. Kein Wunder, dass Joe so durchgeknallt ist. Ich finde, Mum und ich müssen etwas für ihn tun.

Ich habe versucht, ihr das zu sagen, aber jetzt ist nicht der richtige Zeitpunkt. Vielleicht in ein paar Tagen…

Mir ist ganz flau im Magen. Wir biegen gerade in den Church Hill ein und ich kann unser Haus sehen. Der Polizist, der uns hergefahren hat, macht die Autotür auf und sagt zu Mum, dass wir erst mal ein bisschen Zeit für uns haben sollen, bevor man uns wieder mit Fragen bombardiert.

»Komm, Mucki!« Mums Schlüssel steckt im Schloss. Die Tür springt auf.

»Katie, Katie, willkommen daheim!«

Grace ist da und Mrs Ostler und Tom. Auf dem Tisch steht ein riesengroßer Kuchen mit gelbem Zuckerguss und das ganze Zimmer ist ein Blumenmeer. Grace drückt mich an sich. Sie riecht nach Jasmin und Ingwerbrot und die Tränen kullern ihr nur so übers Gesicht.

Tom beobachtet mich. Er hat mir wahnsinnig gefehlt. Wie ist das möglich? Normalerweise raubt er mir den letzten Nerv, und trotzdem wünsche ich mir jetzt nichts mehr, als mit ihm zu reden.

»Tom? Ich bin wieder da. Tom?«

Ich will ihn umarmen, aber das darf man mit Tom nicht machen, nicht bis er selbst die Bereitschaft dazu signalisiert.

»Alles in Ordnung, Tom?«

Er starrt mich an. Er kommt einen Schritt auf mich zu.

Er runzelt die Stirn.

»Kähdi.«

Alle anderen sind reglos. Halten die Luft an. Die Zeit steht still.

»Kähdi Hause!«

Nach zehn Jahren und fünf Monaten hat Tom endlich etwas gesagt.

Plötzlich lachen und weinen wir alle zur selben Zeit und müssen uns total zurückhalten, um ihn nicht zu umarmen.

Tom sieht uns an, dann dreht er sich um und geht weg. Im nächsten Moment hockt er schon in einer Ecke und wiegt sich.

Wir sind nicht mehr Teil seiner Welt, nicht in diesem Augenblick, aber ich weiß – ich weiß es einfach –, dass wir es irgendwann wieder sein werden.

Ich bin so stolz auf ihn. Er ist mein Bruder. Mein jüngerer Bruder. Ich habe ja zwei.

Rosie Rushton
Liebesschwüre für dich

320 Seiten   cbt 30257

Wer macht das Rennen um Nick? Chloë oder Sinead?
Und werden Sanjay und Jasmin ein Paar, trotz des Widerstands
von Jasmins Eltern? Liebesfreud und Liebesleid haben
Hochkonjunktur bei den fünf Teenagern, die zusammenhalten
wie Pech und Schwefel.

Enthält die Romane »Liebesschwüre und andere Peinlichkeiten«
und »Liebesleid und andere Freuden«.

www.bertelsmann-jugendbuch.de